조달우수제품 인증제도 가이드

저자 한국기술인증협회

㈜ 비티타임즈

<제목 차례>

Special Report

I. 서론

I. 서론

지식기반시대, 무한경쟁시대에서 선도기술의 개발은 기업을 성장시키고 국가 경쟁력을 키울수 있는 국가발전의 핵심전략이지만 많은 중소·벤처기업이 신기술제품을 개발해 놓고도 판로를 확보하지 못해 어려움을 겪는 경우가 많다.

우수제품 지정제도는 신기술 제품을 개발·생산해 놓고도 공공기관 납품에 에로를 겪는 중소·벤처기업의 판로지원과 조달물자의 품질향상을 위해 기술 및 품질이 우수한 신기술제품을 엄정한 심사를 거쳐 우수제품으로 지정하고, 지정된 우수제품에 대해서는 조달물자로 우선 구매 및 홍보를 통한 판로지원으로 기업의 기술개발 의욕을 고취시키고, 정부 각급 기관에 대하여는 우수품질의 물자를 공급하기 위한 제도이다.

본 서에서는 이처럼 기업들의 기술 개발에 대한 판로를 지원해줄 수 있는 제도인 우수제품 지정제도의 목적과 시행근거, 지정대상 및 분야를 살펴본 후 우수제품 지정신청방법, 절차를 자세히 알아보고자 한다. 그리고 분야별 우수제품 지정현황과 관련된 인증들을 알아보고 Q&A를 통해 조달우수제품 지정제도에 대하여 이해하고자 한다.

II. 조달우수제품 지정제도 개요

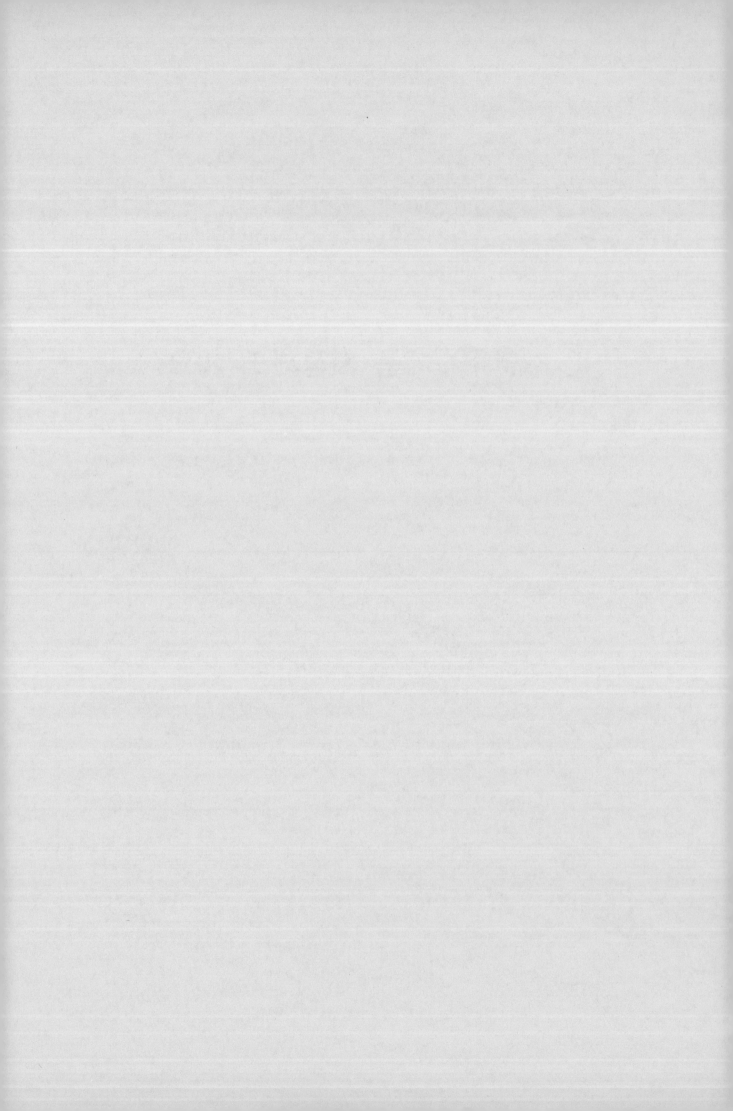

II. 조달우수제품 지정제도 개요

1. 조달우수제품 지정제도란?

조달우수제품 지정제도는 중소·벤처기업이 생산한 신기술 및 우수품질 인증제품을 대상으로 엄격한 심사를 거쳐 우수 조달물품으로 지정하여 관리하고, 국가계약법령에 따라 계약을 체결하여 각급 수요기관에 공급하는 제도이다.

조달우수제품 지정제도의 시행취지는 공공조달에서 경쟁력이 상대적으로 약한 중소·벤처기업들에게 안정적인 판로지원을 하는 사회적 배려에 있으며, 동시에 조달시장에서 공정하게 경쟁할 수 있도록 중소기업을 신장시키고 수요기관에게는 고품질의 조달물품을 공급하려는데 있다.[1]

2. 시행근거

- 「우수조달물품 지정관리 규정」(조달청 고시 제2019-13호, 2019. 9. 26)
- 「조달사업에 관한 법률」 제9조의2 및 동범시행령 제 18조(우수제품의 지정)

제9조의2(우수조달물품등의 지정)

① 조달청장은 조달물자의 품질향상을 위하여 다음 각 호의 어느 하나에 해당하는 물품 또는 상표를 우수조달물품 또는 우수조달공동상표(이하 이 조에서 "우수조달물품등"이라 한다)로 지정하여 고시할 수 있다. <개정 2016.1.27.>

1. 우수조달물품: 다음 각 목에 해당하는 기업이 생산한 물품으로서 성능·기술 또는 품질이 대통령령으로 정하는 기준을 충족하는 물품

   가. 「중소기업기본법」 제2조제1항에 따른 중소기업

   나. 「중견기업 성장촉진 및 경쟁력 강화에 관한 특별법」 제2조에 따른 중견기업 중 매출액 규모, 중견기업이 된 이후의 기간 등 대통령령으로 정하는 기준을 충족하는 기업

2. 우수조달공동상표: 대통령령으로 정하는 수 이상의 중소기업자(「중소기업기본법」 제2조제1항에 따른 중소기업자를 말한다)가 판매활동을 강화하기 위하여 개발·보유한 공동상표로서 기술 및 품질인증 등이 대통령령으로 정하는 기준을 충족하는 것

② 조달청장은 대통령령으로 정하는 바에 따라 우수조달물품등의 구매 증대와 판로 확대를 위하여 필요한 조치를 할 수 있다.

③ 조달청장은 제1항에 따라 지정된 우수조달물품등이 최초 지정기준에 미달하는 등 대통령령으로 정하는 경우에는 그 지정을 취소할 수 있다.

④ 우수조달물품등의 지정 절차, 지정 기간, 그 밖에 운영에 관한 구체적인 사항은 대통령령으로 정한다.

---

[1] 한국품질인증연구원 (http://kioqa.co.kr/m53.php)

제18조(우수조달물품의 지정)

① 법 제9조의2제1항제1호 각 목 외의 부분에서 "대통령령으로 정하는 기준을 충족하는 물품"이란 다음 각 호의 어느 하나에 해당하는 물품으로서 기술의 중요도 및 품질의 우수성 등을 고려하여 조달청장이 정하는 기준을 충족하는 물품을 말한다.

다만, 음료품류·식료품류 및 동물류·식물류 등 품질 확보가 곤란한 물품이나 무기·총포·화약류 등으로서 조달청장이 우수조달물품으로 지정하는 것이 적합하지 아니하다고 인정하여 고시하는 물품은 제외한다. <개정 2010.8.17., 2014.11.4., 2016.7.28.>

 1. 「특허법」에 따른 특허발명, 「실용신안법」에 따른 등록실용신안 및 「디자인보호법」에 따른 등록디자인을 실시하여 생산된 물품

 2. 법령에 따라 주무부장관 또는 법령에 따라 주무부장관의 위임을 받은 자가 인증하거나 추천하는 신기술 적용 물품, 우수품질 물품,환경친화적 물품 또는 자원재활용 물품 등

② 법 제9조의2제1항제1호나목에서 "매출액 규모, 중견기업이 된 이후의 기간 등 대통령령으로 정하는 기준을 충족하는 기업" 이란 「중견기업 성장촉진 및 경쟁력 강화에 관한 특별법」 제2조에 따른 중견기업(이하 "중견기업"이라 한다)으로서 다음 각 호의 어느 하나에 해당하는 기업을 말한다. 다만, 「중소기업제품 구매촉진 및 판로지원에 관한 법률」 제6조에 따라 지정된 중소기업자간 경쟁 제품을 우수조달물품으로 지정받으려는 중견기업의 경우에는 같은 법 제8조의3제1항 각 호의 요건을 모두 충족하는 중견기업을 말한다. <신설 2016.7.28.>

 1.「중소기업기본법」 제2조제3항에 따라 중소기업으로 보는 경우 해당 기간의 만료 이후 3년 이내의 기업

 2. 우수조달물품 지정연도 직전 3년간의 연간 평균 매출액이 3천억원 미만인 기업

③ 법 제9조의2제1항에 따라 우수조달물품의 지정을 받으려는 자는 제1항 각 호에 관한 사항을 적은 지정신청서를 조달청장에게 제출하여야 한다. <개정 2016.7.28>

④ 조달청장은 제3항에 따라 신청서를 제출받은 경우에는 해당 물품이 제1항에 따른 지정기준을 충족하는지를 심사하여 신청일부터 90일 이내에 그 지정 여부를 결정하여야 한다. 다만, 조달청장은 90일 이내에 지정 여부를 결정하기 어려운 사유가 있는 경우에는 결정기간을 연장할 수 있으며, 연장 사유와 결정 예정일 등을 신청인에게 알려야 한다. <개정 2016.7.28>

⑤ 조달청장은 제4항에 따라 지정 여부를 결정하였을 때에는 그 결과를 신청인에게 문서로 통보하고, 우수조달물품으로 지정된 물품은 국가종합전자조달시스템에 게재하여야 한다. <개정 2016.7.28>

⑥ 우수조달물품의 지정기간은 법 제9조의2제1항에 따라 고시한 날부터 3년으로 한다. 다만, 조달청장이 우수조달물품의 판매 실적, 계약 이행 내용, 향후 수요 예측 등에 대한 심사를 거쳐 필요하다고 인정하는 경우에는 3년의 범위에서 그 지정기간을 연장할 수 있다. <개정 2016.7.28>

⑦ 조달청장은 법 제9조의2제2항에 따라 우수조달물품의 구매 증대 및 판로 확대를 위하여 국내외 홍보, 수출지원 및 수요기관을 위한 계약체결 등의 조치를 할 수 있다. <개정 2016.7.28>

⑧ 제1항부터 제7항까지에서 규정한 사항 외에 우수조달물품의 지정기준, 지정절차 및 지정기간 연장 등에 관하여 필요한 세부 사항은 조달청장이 정하여 고시한다. <개정 2016.7.28>

[표] 조달우수제품인증 시행 근거

[출처] 정부조달우수제품협회(http://www.jungwoo.or.kr/cmsmain.do?scode=S01&pcode=000092)

3. 지정대상 및 분야

중소·벤처·초기중견기업이 생산한 물품 및 소프트웨어(software)를 대상으로 적용기술이 적용된 제품을 지정하며, 적용기술과 품질소명자료는 다음과 같다.

적용기술		품질소명자료 제출여부	품질소명자료
적용기술 종류 및 소관			
신제품(NEP) 또는 신제품(NEP) 포함 제품	NEP(산업통상자원부)	생략 가능	• 성능인증 (중소벤처기업부)
신기술(NET) 적용 제품	「산업기술혁신촉진법」등에 따라 주무부장관(주무부장관으로부터 위임받은 자를 포함한다)이 인증한 신기술(NET 등)	품질소명자료 제출대상	• GR인증 (기술 표준원) • GS인증 (한국정보통신기술협회, 한국산업기술시험원)
특허·실용 신안 적용 제품	국내 특허에 한함 (특허청)	품질소명자료 제출대상	• 환경마크 (한국환경 산업기술원) • 고효율에너지 기자재인증 (에너지관리공단)
저작권 등록된 GS인증 제품 (소프트웨어)	한국정보통신기술협회 한국산업기술시험원	생략 가능	• K마크 (한국산업 기술시험원) • 품질보증조달물품(조달청) • 지능형 로봇 품질인증 (한국로봇산업진흥원)
연구개발사업 기술개발성공제품	연구개발사업 추진기관 및 조달청	생략 가능	• 보건제품 품질인증 (보건산업진흥원) • 신뢰성인증 (산업통상자원부) ※ 품질소명자료를 제출하지 못하는 특별한 사정이 있다고 인정되는 경우, 「우수조달물품 지정관리 규정」 제3조 제5항 각호의 품질소명자료

[표] 조달우수제품 지정대상

[출처] 한국품질인증연구원 (http://kioqa.co.kr/m53.php)

1) 신제품, 신기술제품 : 최초 인증일로부터 2년 이내(종합평가서 필요)

2) 특허제품 : 등록 후 5년 이내(특허등록원부 및 등록공보 필요)

3) 실용신안제품 : 등록 후 3년 이내(실용 신안 등록원부 및 등록공보 필요)

4) 국제(해외)특허, 출원 중인 특허실용신안은 신청 불가(심사 제외)

※ 지정 제외대상

- 지정에서 제외되는 제품은 다음과 같다.

  · 현장시공에 의해 구매 목적물이 완성되는 반제품 등 품질확보가 곤란한 제품

  · 의약품(농약 포함), 조달물자로 공급하기 어려운 음·식료품류, 동·식물류, 농·수산물류, 무기·총포·화약류와 그 구성품, 유류 등

- 다만 지정에서 제외되는 제품이라고 하더라도 제품의 특성을 고려하여 필요한 경우 우수조달물품지정심사단의 심의를 거쳐 지정 여부를 결정할 수 잇음

III. 조달우수제품 지정신청

III. 조달우수제품 지정신청

1. 조달우수제품 신청자격

국가종합전자조달시스템에 경쟁입찰 참가자격 등록한 중소·벤처기업이 생산하는 제품 및 소프트웨어로서 다음 어느 하나에 해당하는 제품

(1) 신제품(NEP) 적용제품

- 신제품(NEP) 또는 신제품(NEP)을 포함한 제품으로서 품질소명자료가 없어도 신청가능

(2) 신기술(NET 등) 적용제품

- NET, 전력신기술, 건설신기술, 교통신기술, 환경신기술, 보건신기술 또는 방재신기술을 적용하여 생산한 제품으로서 품질소명자료를 반드시 1개 이상 제출한 경우

(3) 특허·실용신안 적용제품

- 국내 특허 또는 국내 등록실용신안을 적용하여 생산한 제품으로서 품질소명자료를 반드시 1개 이상 제출한 경우

(4) 저작권 등록된 우수품질 S/W 인증(GS)제품

- 저작권 등록된 소프트웨어로서 우수품질 소프트웨어(GS인증)을 획득한 경우 품질소명자료가 없어도 신청가능

(5) 연구개발 사업 기술개발성공제품

- 연구개발 사업을 추진하는 기관의 장과 조달청장이 공동으로 시행한 기술개발 지원사업에 따라 기술개발에 성공한 제품으로서, 품질소명자료가 없어도 신청가능

(6) 혁신제품(혁신시제품[2] + R&D 혁신제품[3] 등)

- 조달청장이 구매하여 실증 결과 성공으로 판정된 제품으로서, 품질소명자료가 없어도 신청가능

---

[2] 혁신시제품: 조달청에서 공공서비스 개선에 적용할 상용화 전 혁신제품을 제안받아 공공성 및 사회적 가치, 혁신성, 시장성 등을 평가하여 지정한 제품
[3] R&D 혁신제품: R&D부처(산자부, 과기부 등)에서 연구개발제품 중 혁신성 평가하여 지정된 제품

기술소명자료 및 품질소명자료

1) 기술소명자료

- 신제품(NEP), 신기술(NET 등), 우수품질 소프트웨어 인증제품(GS) : 인증 관련 평가보고서

- 특허 및 등록실용신안 : [별지 제1호의 9] 서식에 따른 구성대비표

※ 상기 명시된 기술소명자료를 제출하지 못하는 특별한 사정이 있다고 인정되는 경우에는 그 외의 자료를 기술소명자료로 인정 가능

2) 품질소명자료

성능인증(EPC), 우수재활용(GR), 환경표지(환경마크), K마크, 우수품질 소프트웨어(GS), 고효율에너지기자재, 품질보증조달물품(구.자가품질보증제품), 소재·부품 신뢰성인증, ICT 융합 품질인증

※ 위 품질인증은 원칙적으로 품질소명자료로 반드시 제출해야 함.

단, 인증기준 또는 시험장비가 없는 등 특별한 사정이 있는 경우에는 다음의 어느 하나에 해당하는 자료를 품질소명자료로 제출 가능

1. 「국가표준기본법」제23조 또는 그 밖에 다른 법률에 따라 인정된 시험기관의 시험성 적서(신청서 접수마감일 기준 2년 이내의 자료에 한함)

   다만 고가의 시험비용이 수반되고 제품 품질의 변동이 없다고 인정할 수 있는 등 불가피한 경우에는 2년 이상 경과한 시험성적서도 인정

2. 기타 품질소명자료로 적합하다고 인정되는 자료(신청서 접수마감일 기준 2년 이내의 자료에 한함)[4]

[표] 기술소명자료 및 품질소명자료

심사에서 제외되는 기술, 품질인증

1. 최초 인증일로부터 3년이 경과된 신제품·신기술 인증인 경우

2. 기술심의회의 심사결과 시공, 설치 등에 관한 기술 인증인 경우

3. 등록일로부터 7년이 경과된 특허인 경우

4. 등록일로부터 3년이 경과된 실용신안인 경우

 ※ 국제(해외)특허, 출원 중인 특허·실용신안은 신청 불가

5. 이미 지정된 우수제품에 적용된 적용기술인 경우. 다만, 기 지정된 우수제품과 세부품명이 상이한 경우는 예외로 한다.

6. 동일 세부품명 기준, 4회 이상 1차 심사에서 탈락한 적용기술인 경우

 (* 위 지정심사 제외 요건은 2016.7.28부터('16년4회) 탈락횟수 집계)

7. 성공판정을 받은 후로부터 3년이 경과한 조달청 시제품 시범구매 선정 제품

 ※ 특허·실용신안 등록권리자는 법인일 경우 법인명으로, 개인사업자일 경우 대표자명으로 등록되어 있어야 함 (공동권리자인 경우 약정서 제출)[5]

[표] 심사에서 제외되는 기술, 품질인증

---

4) 정부조달우수제품협회(http://www.jungwoo.or.kr/cmsmain.do?scode=S01&pcode=000092)
5) 정부조달우수제품협회(http://www.jungwoo.or.kr/cmsmain.do?scode=S01&pcode=000092)

2. 조달우수제품 지정절차

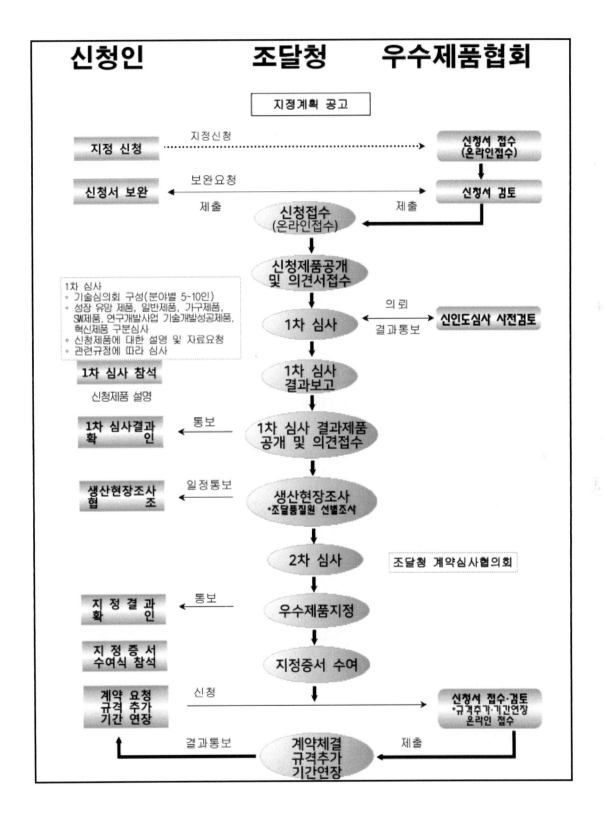

1) 지정 신청

• 신청서 접수

- 신청방법: 우수제품 지정신청 온라인 시스템을 통한 신청 가능
※ 구체적인 제출기한 및 심사일정은 협회 및 조달청 홈페이지 참조

• 신청제품의 목록화

- 우수제품 신청자는 지정신청 전에 대상제품에 대하여 물품목록번호를 부여 받은 후 신청하여야 함. 다만 물품등록번호를 부여 받지 못한 신청제품이라도 1차 심사 대상에 포함하며, 1차 심사를 통과한 신청제품이 물품목록번호를 부여 받지 아니한 경우 2차 심사 대상에 포함하지 아니함. 이 경우, 신청자는 물품목록번호 취득 후 2차 심사에 신청 가능함.
- 물품목록번호는 세부품명번호(10자리)와 식별번호(8자리)로 구성되며, 조달청 상품정보시스템(http://www.g2b.go.kr;8051)에서 신청

• 경쟁입찰참가자격 등록

- 우수제품 신청자는 반드시 국가종합전자조달시스템(나라장터)에 "경쟁입찰참가자격등록"을 하여야하고, "경쟁입찰참가자격등록증"을 반드시 제출하여야 한다.
 ※ 신청물품의 세부품명번호(10자리)가 제조(Y)로 등록되어야 함. 단, 생산능력이 없는 기술업체의 경우 협업체의 "경쟁입찰참가자격등록증"으로 갈음 가능

• 신용평가등급확인서

- 신용평가등급은 B-이상이어야 하고, 공공기관 입찰 확인용으로 발급 받아야 함. 단, 신용평가등급 발급이 어려운 창업초기기업은 기술신용등급확인서의 기술등급이 T4(양호) 이상인 경우 지정 신청 가능함.

• 중소기업 및 초기중견기업 등 확인서

- 중소기업 : 중소기업청장(위임한 경우 포함)이 중소기업임을 확인해준 "중·소기업·소상공인 확인서(공공기관 입찰 확인용)"를 제출하여야 함.
- 중견기업(조달사업법시행령 제18조 제2항 제1호의 기업 : 중견기업 진입 후 3년 이내의 기업)
 ‣ 신청일 기준 3년 이내 "중·소기업·소상공인 확인서(공공기관 입찰 확인용)"
 ‣ 신청일 기준 1개월 이내 " 중견기업 확인서(중소기업자간 경쟁입찰 참여용)"
 ‣ 지정신청 직전 3년 평균 연매출 증빙자료(재무제표, 손익계산서 등)를 제출하여야 함.
- 중견기업(조달사업법시행령 제30조 제2항 제2호 나목의 기업 : 지정신청 직전 3년 평균 매출액 3천억원 미만의 기업)
 ‣ 지정신청 직전 3개 사업연도 평균 매출액 증빙자료(재무제표, 손익계산서 등)를 제출하여

야 함.

‣ 신청일 기준 1개월 이내 "중견기업 확인서(중소기업자간 경쟁입찰 참여용)"

※ 조달사업법시행령 제30조 제2항 제1호의 기업은 「중소기업제품 구매촉진 및 판로지원에 관한 법률」 제8조의3 제1항 각 호의 요건을 모두 갖춘 기업으로 해당 입증자료를 제출하여야 함

- 지정 신청서 접수
- 신청방법: 온라인 접수
  ※ 접수 관련 문의처: (사)정부조달우수제품협회(본회 ☎02-521-0014, 중부사무소☎ 043-473-3006)
- 구체적인 제출기한 및 신청서양식은 협회 및 조달청 홈페이지 참조
  ※ 심사일정은 조달청 홈페이지에 공지

■ 지정신청 제출서류

번호	서 류 명	비 고
1	우수제품지정 평가자료(별지 제1호의 1서식)	반드시 제출
2	우수제품지정(연장·규격추가)신청 서류제출 신뢰 서약서(별지 제1호의 2서식)	반드시 제출
3	정보공개동의서, 개인정보 수집·이용 동의서(별지 제1호의 2 '가' 서식)	반드시 제출
4	우수제품지정신청서(별지 제1호의 3서식)	반드시 제출
5	<신설> 제출서류의 자가점검표(별지 제1호의 4서식)	반드시 제출
6	제품설명서(별지 제1호의 5서식)	반드시 제출
7	<삭제>	
8	경제성효과(LCC) 원가분석 총괄표(원가계산서 첨부)(별지 제1호의 7서식)	
9	신청사항 요약서(별지 제1호의 8서식)	반드시 제출
10	구성대비표(별지 제1호의 9서식)	반드시 제출
11	신청 모델(규격)내역(별지 제1호의 9 '가' 서식)	반드시 제출
12	<삭제>	
13	<삭제>	<삭제>
14	○ 기술소명자료 　- NEP, NET 등 인증서 사본 및 관련 종합평가보고서(인증에 적용된 특허 등의 등록증, 등록원부(등본) 및 등록공보 사본 포함) 　- 특허, 실용신안 등록증, 등록원부(등본) 및 등록공보 사본 　- GS인증이 적용된 저작권등록 소프트웨어 : GS인증서, 시험결과서, 저작권 등록증(구 프로그램등록증) 및 프로그램 등록부(최근 3개월이내) 　- 관련기관이 발행한 연구개발사업 관련 증서 및 평가보고서 　※ 교통신기술 및 건설신기술 종합평가서(의견서) 제출 생략 ○ 품질소명자료 　- 품질 인증서 사본, 인증 관련 종합평가보고서, 공인시험기관(국가, 지자체)의 시험성적서 등 　※ 품질보증조달물품의 경우, 현장심사보고서 제출 생략	반드시 제출
15	○ 관련 법령에 따라 사전에 형식등록, 안전 인증, 전자파적합등록 등이 필요한 제품의 경우 관련 등록 또는 인증서 사본, 법적 의무 인증/지침 자가확인서 (별지 제1호의 12 '가' 서식)	
16	제품규격서(별지 제1호의 12서식)	반드시 제출
17	기술·성능 비교표(별지 제1호의 13서식)	반드시 제출
18	약정서(별지 제1호의 14서식)	
19	해외 진출실적(별지 제1호의 15서식)	
20	신인도 자기평가표 및 증빙자료(별지 제1호의 16서식)	반드시 제출
21	<삭제>	<삭제>
22	○ 중소기업 : 중·소기업·소상공인 확인서(공공기관 입찰 확인용) ○ 중견기업 ① 조달사업법시행령 제30조 제2항 제2호 가목의 기업 　- 신청일 기준 3년 이내 중·소기업·소상공인 확인서(공공기관 입찰 확인용) 　- 신청일 기준 1개월 이내 중견기업확인서(중소기업자간 경쟁입찰 참여용) 　- 지정신청 직전 3년 평균 연매출 증빙자료(재무제표, 손익계산서 등) ② 조달사업법시행령 제30조 제2항 제2호 나목의 기업 　- 지정신청 직전 3개 사업연도 평균 매출액 증빙자료(재무제표, 손익계산서 등) 　- 신청일 기준 1개월 이내 중견기업확인서(중소기업자간 경쟁입찰 참여용) 　※ 조달사업법시행령 제30조 제2항 제1호의 기업은 해당 입증자료 제출	반드시 제출
23	신용평가등급확인서 (별표 2 참조)	반드시 제출
24	경쟁입찰참가자격등록증	반드시 제출
25	별표 6 서식에 대한 증빙서류	반드시 제출 (해당 시)
26	특허정보진흥센터로부터 발급받은 '우수제품 지정을 위한 정부조달우수제품 특허적용 확인서'	2차 심사 전 반드시 제출

[그림] 조달우수제품 지정신청 제출서류

6)

6) 조달청 (http://www.pps.go.kr/kor/jsp/business/main_policy/gp_form.pps)

<주>

1. 제출 서류는 우수제품지정신청서 접수마감일 이전에 인정(발급)받은 건에 한하며, 접수 마감일 이후는 받지 않음 (단, 동 규정 제4조 제3항에 따른 보완은 가능하나, 접수마감 일까지 제출한 서류에 대한 보완만 가능)

2. 특허, 실용신안 등록원부는 신청서 접수일 기준 1개월 이내 발행분으로 제출

3. 기술·품질 소명자료는 인증기관의 종합평가서 등 기술, 품질을 확인할 수 있는 자료를 함께 제출하여야 하며, 관련법령에 따라 사전에 형식등록, 안전인증, 전자파적합등록 등 이 필요한 제품의 경우 반드시 관련등록 또는 인증서 사본을 제출하여야 함

4. 중·소기업·소상공인 확인서란 「중소기업기본법」 제2조 및 「소기업 및 소상공인 지원 을 위한 특별 조치법 시행령」 제2조의 규정에 따른 확인서, 중견기업확인서란 「중견기 업성장촉진 및 경쟁력 강화에 관한 특별법」 제25조에 따른 확인서, 여성기업 확인서란 「여성기업지원에 관한 법률 시행령」 제2조의 규정에 의거 중소기업청장(위임한 경우 포 함)이 확인해준 서류임

5. 신청 제품(세부품명번호 10자리)은 경쟁입찰참가자격등록증에 제조 물품으로 등록된 것 이어야 함

6. <삭제>

7. 동규정 제4조 제3항에서 '반드시 제출'해야 하는 서류를 일부 제출한 경우란 해당 특 허, 등록원부는 제출하였으나, 등록공보를 미제출한 경우 등을 말함(백지 또는 해당항목 에 관계없는 서류 제출 시 접수에서 제외함)

8. 정부조달우수제품 특허적용확인서에 '특허기술 적용여부'가 일부적용 또는 미적용으로 체크되거나 '특허기술 적용수준'이 일부적용으로 체크된 경우 지정 제외

9. 제출서류의 보완·보관 등의 이유로 파일형식과 용량 제한을 할 수 있으며, 관련 내용 은 조달청 홈페이지에 공지함

10. 개인정보보호를 위해 우수제품 지정신청 서류 제출 시 주민들고번호는 7자리(생년월 일, 성별)를 제외한 뒷자리를 비식별화 처리 후 제출

참고사항(신청서 반려처리 기준)
- 지정신청 접수마감일까지 우수조달물품 지정관리규정 '별표1'의 서류 중 "반드시 제출" 에 해당하는 서류를 미제출한 경우(단, 제출서식 및 관련서류 중 하나라도 제출한 경우 제외) - 신청자격인 기술소명자료 및 품질소명자료를 미제출한 경우(단, 지정신청 보완기한까지 품질소명자료 미제출 사유서를 제출한 경우 제외) - 접수부서의 보완요청에 의해 제출한 서류 중 '별표1의 14, 22, 23, 24번' 서류가 신청접 수 마감일 이후에 인정(발급)받은 경우

NEP, NET관련 유의사항
- 신제품, 신기술 보유업체가 신청 시 신제품, 신기술과 관련된 특허를 우수제품 지정심사에 반영하여 평가받고자 할 경우에는 신청서(제품설명서, 구성대비표 등)에 해당특허를 명기하고 관련서류* 제출   * 신청 시: 특허증, 원부, 등록공보 / 1차 심사통과 시: 특허적용여부확인서   - 미반영하여 참고자료로서만 활용할 경우 신청서에는 해당특허내용을 삭제(구성 대비표 미제출 등)하고 우수제품 신청시스템의 '기타사항'에 관련서류(특허증, 원부, 등록공보) 제출   ※ 관련 특허가 지정심사에 반영되어 평가받을 경우 우수제품 지정 후 사후관리(납품제품에 대한 특허 적용, 특허 권리 변동 등) 대상으로 인정되고 미반영된 특허는 비대상으로 인정

- 신청서류 보완

- 제출된 서류가 누락되었거나 불명확한 경우에는 기한을 정하여 보완을 요구할 수 있으며, 보완요구 기한까지 제출되지 아니한 경우에는 당초 제출된 서류만으로 심사한다.
  ※ 접수마감일까지 제출한 서류에 대한 보완만 가능

- 심사 · 지정 제외

- 신청서류를 위조·변조하거나 허위서류를 제출한 경우
- 조달수요가 없는 것이 명백하거나, 조달물자로서 부적합한 경우
- 법 제26조 제1항 제1호에 해당하지 않는 기업 또는 「중소기업제품 구매촉진 및 판로지원에 관한 법률」 제8조의2제1항에 해당하는 기업이 생산한 제품인 경우
- 제8조제7항에 따라 심사항목에서 제외하여야 하는 적용기술이 포함된 제품인 경우
- 이미 지정을 받은 우수제품과 물품목록번호(16자리)가 동일한 제품을 신청한 경우
- 신청 제품이 이동 또는 설치·시공 과정에서 성질 또는 상태 등의 변형 가능성이 높아 우수제품으로서의 관리가 곤란한 경우
- 조달물자로 공급하기 곤란한 음·식료품류, 동·식물류, 농·수산물류, 무기·총포·화약류와 그 구성품, 유류 및 의약품(농약) 등
- 신용평가등급에 따른 경영상태 평가 결과 '부적합'인 경우
- 입찰참가자격 제한 중인 경우
- 우수제품 신청자 본인 또는 제3자로 하여금 심사위원을 사전접촉하거나, 하게 한 경우로서 사실로 확인된 경우 ('사전접촉'은 기술심의회 개최 전 정보통신기기를 이용하거나 우편, 방문 등을 통해 심사위원으로 하여금 우수제품 신청자 본인 또는 신청 제품을 인식하게 하려 한 경우를 말한다. 다만, 심사위원이 이를 인식하였는지 여부는 불문한다.)
- 제품규격서 상의 '주요자재소요량'에 기재된 부품 중 외국산 부품의 원가계산서 상 직접재료비 비율이 50%를 초과한 제품의 경우(단, 품목 특성 상 외국산 부품 사용이 불가피한 경우는 신기술서비스 업무심의회의 심의를 통해 예외로 결정할 수 있다.)

• 신청제품의 의견수렴

- 심사 대상 품목, 신청 규격서 및 1차 심사 통과 여부를 일정기간동안 조달청 홈페이지에 공고
- 제출된 이해관계인의 의견은 심사자료 및 2차 심사(계약심사협의회)에서 활용 가능
- 제출된 의견에 대한 설명 또는 자료 등이 필요한 경우 이해관계인에게 요구할 수 있음

우수제품지정신청서

제 품 명	(한글)		(영문)		
모델 및 물품목록 정보	모델명				
	세부품명번호+식별번호 (총18자리)				
신청분야 (해당란○표)	1. 전기전자 2. 정보통신 3. 기계장치 4. 건설환경 5. 화학섬유 6. 사무기기 7. 과기의료 8. 지능정보				
기술·품질심사 생략 여부 (이전 점수로 대체희망 시 ○표)	생략 ( )		지정기간 시작일 선택 (해당란 표시)	N ( ) N+60 ( ) *N은 계약심사협의회에서 정한 일자	
회 사 명	(한글)		대표자	(한글)	성별
	(영문)			(영문)	
주 소	본사 : (우□ -)				
	공장 : (우□ -)				
	국문홈페이지 : http://				
	외국어홈페이지 : http://				
기업형태 (해당란표시)	중소기업( ) 중소기업기본법 제2조 제3항에 따른 유예 중소기업( ) 중견기업( )				
제품 유형 (해당란표시)	중소기업자간경쟁제품( ) 일반제품( )				
주생산 품목			업 종		
상 시 종업원수			자본금 (백만원)		
총자산(백만원)			창업년도		
사 업 자 등록번호			법인번호		
연 락 처	부 서		연락전화		
	직 위		FAX번호		
	성 명		e-Mail		

「우수조달물품 지정관리 규정」 제4조에 따라 우수제품지정을 신청합니다.

202 년   월   일

신청인 :   (인)

조 달 청 장 귀하

주) 신청인은 적용기술의 권리자로서 신청제품의 제조 및 조달납품에 관한 모든 권한을 보유한 자이어야 함.
　※ 신청 모델이 많은 경우, 별지에 기재도 가능
주) 세부품명번호 10자리와 식별번호8자리 총 18자리를 기재한다. 조달청 상품정보시스템 (http://www.g2b.go.kr:8051)에서 신청(담당과 : 조달청 물품관리과)
주) 지정기간 시작일은 추후 변경 가능

[그림] 우수제품지정신청서

7)

2) 지정 심사
- 신청 규격서 및 1차 심사 통과 여부를 일정기간동안 조달청 홈페이지에 공고

(1) 1차 심사

- 우수조달물품 지정기술심의회에 의한 심사로 기술심의회 장소에서 시행하는 오프라인 심사와 e-발주시스템에서 시행하는 온라인 심사로 구분
  * 심사분야 별로 대학교수, 특허심사관, 변리사 등으로 구성된 5~10인의 외부 전문심사위원 심사

- 제품의 특성에 따라 성장 유망 제품, 일반제품, 가구제품으로 구분하여 심사
- 평가항목 및 배점
  ‣ 성장 유망 제품 [별지 제2호의 2 '가'서식 참조]
  ‣ 일반제품 [별지 제2호의 2서식 참조]
  ‣ 가구제품 [별지 제2호의 3서식 참조]

- 평점은 심사위원이 평가한 최고·최저점수를 제외한 점수를 평균한 점수와 신인도 점수의 합으로 하며, 신청제품은 평점 70점 이상이어야 1차 심사를 통과
  * 업체 희망시 회차별 기술·품질점수 중 가장 높은 점수 적용('19년 2월부터)
  ** 기술·품질 심사 생략을 신청하지 않아도 가장 높은 점수 대체 가능
  *** 이전 회차의 신청제품과 심사생략 제품이 동일한 경우, 이전 회차 지정 신청 접수마감일로부터 1년 또는 연속으로 4회가 경과하지 않는 경우에 한함

- 저작권 등록된 우수품질 S/W 인증제품(GS) → 심사특례 적용
  * 심사특례: (별지 제2호의 4서식)에 따라, 심사위원 2/3 이상이 '적절'로 평가한 경우 1차 심사 통과
- 연구개발사업 기술개발성공제품, 혁신제품 → 심사특례 적용
  * 심사특례: (별지 제2호의 4의 '가'서식)에 따라, 심사위원 2/3 이상이 '적절'로 평가한 경우 1차 심사 통과

(2) 2차 심사
- 심사대상 : 1차 심사를 통과한 제품
- 심사내용
- 생산현장 실태조사
- 신기술서비스업무심의회에서 대상제품에 대한 종합검토
- 계약심사협의회에서 조달품목으로서 타당성, 우수제품 지정요건에 부합하는지 여부, 신청자의 불공정 행위 등 우수제품으로서의 적정성 여부, 그 밖에 심사위원이 필요하다고 인정하는 항목 등을 종합적으로 심사하여 우수제품 지정 여부 결정

---

7) 조달청 (http://www.pps.go.kr/kor/jsp/business/main_policy/gp_form.pps)

우수제품지정 적용기술심사서
(제8조의2 S/W제품)

1. 제품명 :
2. 회사명 :
3. 심사내용

평가항목	적절	부적절
①기능성·편리성: 사용자 목적에 따라 적합·정확한 기능을 제공하며, 사용자가 소프트웨어를 활용하기 위한 방법, 조건, 인터페이스, 메뉴구성 등 제어환경을 쉽고 편하게 제공하는 능력		
②신뢰성·보안성: 결함이나 문제 발생 시 지정된 수준의 성능을 유지하고 데이터를 복구하며, 인가되지 않은 사람이나 시스템의 액세스를 방지하여 정보 및 데이터를 보호하는 능력		
③유지성·이식성: 환경과 요구사항에 따라 용이한 소프트웨어의 수정·개선을 제공하며, 특정한 환경에서 다른 환경으로 적응·이식·설치·대체될 수 있는 능력		
④효율성: 시간효율성(응답시간, 반환시간, 처리시간) 및 자원효율성 (I/O자원, 메모리, CPU)을 적절하게 제공하는 능력		
최종결과: 모든 평가항목에서 적절로 평가된 경우 → 적절 부적절로 평가된 평가항목이 하나라도 있는 경우 → 부적절		

4. 의견서

종합 의견	

[그림] 적용기술심사서-SW제품

8)

---

8) 조달청 (http://www.pps.go.kr/kor/jsp/business/main_policy/gp_form.pps)

우수제품지정 적용기술심사서

(제8조의2 연구개발사업 기술개발제품, 혁신제품)

1. 제품명 :

2. 회사명 :

3. 심사내용

평가항목	적절	부적절
①연구개발사업 또는 혁신제품과 신청한 제품 간의 연관성 신청의 자격이 된 연구개발(R&D)사업 또는 혁신제품과 해당 제품의 연관성		
②조달물자로서의 성능·품질 차별성 및 신뢰성 사용자 편의성, 안전성, 효율성, 내구성, 에너지절약, 보안, 환경 친화성 등 해당하는 성능·품질의 신뢰성		
최종결과: 모든 평가항목에서 적절로 평가된 경우 → 적절 부적절로 평가된 평가항목이 하나라도 있는 경우 → 부적절		

4. 의견서

종합 의견	

[그림] 적용기술심사서-연구개발사업 기술개발제품

9)

---

9) 조달청 (http://www.pps.go.kr/kor/jsp/business/main_policy/gp_form.pps)

3. 조달우수제품의 관리

1) 우수조달물품 지정기간
- 지정일로부터 3년으로 하되, 지정일은 계약심사협의회에서 정한 날로 함

2) 지정기간 연장
- 다음 어느 하나에 해당하는 경우에는 그 지정기간을 연장하며, 아래의 요건을 중복적으로 충족하는 경우 기간을 합산하여 **최대 3년까지 연장** 가능(**최대 3년까지 연장 가능**)
- 지정기간 중 수요기관 납품실적이 있는 경우 : 1년
- 우수제품 지정기간 연장 신청일을 기준으로 최근 1년간(또는 3년간) 해당 우수제품과 동일 품명(물품분류번호 8자리 기준)의 수출 실적이 해당 우수제품의 총매출 대비 3% 이상인 경우 : 1년
- 우수제품 지정기간 연장 신청일을 기준으로 최근 3년간 해외수출 총 실적이 1천만불 이상 이거나 총매출 대비 30% 이상인 경우: 1년
- 우수제품 지정일 대비 연장 신청일을 기준으로 전체 고용인원(지정일 기준) 개비 청년고용 증가인원이 3%이상인 기업 또는 전체 고용인원 증가율이 5%이상인 소기업 및 4% 이상인 중기업 : 1년
- 제4호에 의하여 연장 또는 연장 신청을 한 경우라도 우수제품 지정일 대비 연장 신청일을 기준으로 전체 고용인원 증가율이 20% 이상인 소기업 또는 15% 이상인 중기업이면서 별 지 제3호의 7서식에 따른 기간 동안 고용한 신규 채용인력의 95%이상이 정규직인 경우 : 1년
- 연장 신청 직전 연도 총매출액 대비 기술개발 투자 비율이 5% 이상인 경우: 1년
- 「재난 및 안전관리 기본법」 제3조1호의 재난이나 경기침체, 대량실업 등으로 인한 국가의 경제위기를 극복하기 위해 필요한 경우 : 조달청장이 정한 기간(단, 지정 기간은 영 제30 조 제6항에서 정한 범위(3년+3년)를 초과할 수 없음)
- ※ 지정기간이 연장된 경우, 동일한 사유로 다시 지정기간 연장 불가
- ※ 세부품명기준 10년 이상 장기지정업체는 지정 신청시 심사한 종합평가 결과의 지정기간 허 용범위 내에서만 연장 가능
- 신청방법
- 지정기간 만료인ㄹ 1년 전부터 만료일까지(별지 제3호의 2서식) 및 관련 서류를 공공조달 계약이행확인시스템을 통해 온라인으로 신청

3) 지정기간의 연장제외 사항
- 우수제품에 적용된 기술의 유효기간이 만료되었거나 우수제품 지정기간 만료일의 익일로부 터 가산하여 잔여 유효기간이 6월 미만인 경우
- ※ 단, 기간연장 신청일을 기준으로 2년 이내의 시험기관의 시험성적서로 품질·성능 등을 확

인할 수 있는 경우 연장 가능
 - 지정 신청을 한 때 제출한 품질인증의 유효기간이 만료된 경우
※ 단, 기간연장 신청일 기준으로 2년 이내의 시험·검사기관의 검사합격증명서 또는 시험성적서로 품질·성능 등을 확인할 수 있는 경우 연장 가능
 - 제12조 제3항의 지정기간 연장신청 기한 내에 연장 신청을 하지 아니한 경우
 - 지정기간 동안 제21조 제1항에 따른 경고를 2회 이상 받은 경우
 - 고용노동부장관이 공개중인 체불사업주 명단의 사업장, 최저임금법 위반으로 유죄판결이 확정된 사업장, 적극적 고용개선조치 미이행 사업주로 공표된 사업장
 - 우수제품 지정증서에 명시된 우수제품과 관련하여 지정기간 중에 부정당업자 제재를 받은 경우

4)우수조달물품 규격추가

 • 다음 모두를 충족하는 경우에는 규격(모델)추가 가능
 - 우수조달물품의 세부 품명과 동일한 경우
 - 지정당시 기술소명자료 및 품질소명자료에 부합하도록 규격서가 작성된 경우
 - 우수조달물품 지정규격과 유사한 규격인 경우
 - 최초 지정 제품과 동등 이상의 기술·품질 수준인 경우
 • 기술심의회의 심사를 거쳐 결정하며 심사위원 2/3이상이 '적합'으로 판정하는 경우 규격(모델)추가가 됨. 다만, 단순 경미하여 사실관계가 명확한 경우에는 신기술서비스업무 심의회의 심사를 거쳐 결정할 수 있음
 • 다음 어느 하나에 해당하는 경우 규격추가 절차 중지
 - 제22조의 제1항의 지정 취소사유가 발생한 경우 또는 우수제품 지정증서에 명시된 우수제품과 관련하여 부정당업자 제재 처분 사유가 발생한 경우
 - 제1호와 관련 관계기관의 수사 또는 조사, 행정처분절차가 진행중이거나 심판 또는 소송, 형사재판이 진행중인 경우
 - 제20조의 2에 의한 재심사가 진행 중인 경우
※ 다만, 수사·조사 결과, 행정처분, 재결과 또는 판결(하급심 포함) 등으로 규격추가를 진행하지 아니할 특별한 사정이 있는 경우를 제외하고는 규격추가 신청일롭루터 3개월 이내에서만 중지

 • 신청방법
 - 수시 신청 가능하며, [별지 4호의 1서식] 및 관련 서류를 공공조달 계약이행확인시스템을 통해 온라인으로 신청

5) 규격서 수정

- 아래 사항에 해당하는 경우 조달청 분야별 지정담당자에게 규격서 수정 요청
- 규격추가가 된 경우
- 지정제품의 추가선택품목의 추가 요청이 있는 경우
- 지정범위 조정(일부 지정 취소 포함)이 필요한 경우
- 규격서 상 오기, 불분명, 모순된 부분을 정정할 필요가 있는 경우

6) 우수조달물품 지정증서 재교부 및 반납

- 우수조달물품 지정증서 재교부
- 상호 또는 대표자가 변경된 경우
- 포괄적 양수 또는 합병으로 우수조달물품에 대한 모든 권리를 승계 받은 겨웅
- 지정증서를 분실하였거나 규격추가 등 변경사항이 있는 경우
- 제4조의3 제3항에 따라 협업 변경 승인을 받은 경우

※ 제출서류
① 법인등기부등본(말소사항 포함) 및 사업자등록증 사본 각 1부
② 공장등록증명서, 직접생산확인증명서(SW 제외) 각 1부
③ 우수조달물품 자격증서 원본 1부
④ 기술(등록원부) 및 품질 인증, 신인도에 적용된 기타 품질인증 사본 각 1부
⑤ 양도·양수계약서, 변경된 정관, 법인인감증명서 사본 각 1부

- 우수조달물품 지정증서 반납
- 우수조달물품의 생산을 중단한 경우
- 사업을 양도한 경우로서 우수조달물품에 대한 권리를 양도하지 아니한 경우

7) 우수조달물품 적용기술 등 유지

- 우수제품업체는 우수조달물품 심사 시 적용기술 및 권리, 규격 등 제반사항에 대해 우수조달물품 지정기간이 종료할 때까지 변동 없이 계속 유효하게 관리하여야 함
- 우수제품업체는 적용기술 및 권리, 규격, 품질 관련 인증 등 제반사항이 변동되거나 관련 법규 제·개정 등으로 변경하여야 할 경우에는 7일 이내에 우수제품구매과로 통보하여야 함
- 통보하지 아니한 경우 경고조치 및 향후 지정 신인도 심사 시 감점
※ 적용기술에 대한 권리가 유지되어 우수제품 지정 효력에 영향이 없는 경우, 적용기술에 대한 권리, 인증 등이 최초 지정 당시 명기되었던 유효기간에 따라 만료된 경우는 미통보

4. 조달우수제품의 계약

1) 계약원칙
• 우수제품의 계약은 우수제품업체에서 계약요청이 있거나, 수요기관의 구매요청이 있는 경우 계약관련 법령에 따라 구매담당부서에서 계약 체결 검토

2) 계약방법 결정기준
• 지정된 우수제품은 「국가를 당사자로 하는 계약에 관한 법률 시행령」 제26조 또는 「지방자치단체를 당사자로 하는 계약에 관한 법률 시행령」 제25조에 따라 수의계약을 체결하는 경우에는 수의에 의한 제3자 단기계약을 체결함을 원칙으로 함
• 중기간경쟁제품으로서 우수제품을 지정받은 협업체가 「국가를 당사자로 하는 계약에 관한 법률 시행령」 제26조 또는 「지방자치단체를 당사자로 하는 계약에 관한 법률 시행령」 제25조에 따라 수의계약을 체결하고자 하는 경우에는 협업기업의 직접생산확인증명서를 제출하여야 함
• 협업체로 우수제품을 지정받은 업체와 수의계약을 체결하는 경우 계약상대자는 추진기업이 되며, 추진기업은 우수제품 계약에 대한 모든 책임을 짐
• 시스템장비의 구성품 등 조달요청 가능성이 적은 경우에도 분리 발주 또는 판로지원을 위하여 제3자 단가계약(또는 단가계약)을 체결할 수 있음. 다만, 해당 우수제품의 주요 구성품이 수입제품인 경우 안정적인 공급 또는 하자의 원활한 보수 등을 위해 그 주요 구성품에 대한 "공급확약서"또는 이에 준하는 서류를 제출하게 할 수 있음.
※ 우수제품의 규격이 추가 지정되었을 경우에는 수정계약을 체결할 수 있음

3) 다량구매 할인율 적용
• 제3자 단가계약(또는 단가계약)의 경우에 계약상대자는 계약수량, 이행기간, 수급상황, 계약조건 그 밖의 제반여건을 참작하여 규모별 다량구매 할인율을 2단계 이상 제시하여야 함

4) 추가선택품목 별도 구매
• 수요기관의 장은 옵션 품목의 납품요구 합계금액이 추정가격 기준 2천만원 이하인 경우 물품의 본품 구매여부와 관계없이 옵션 품목만을 별도로 구매 가능
• 조달청장은 별도 구매하는 옵션 품목의 납품요구대상 구매예산이 추정가격 2천만원 미만이라 하더라도 납품요구일 기준 최근 30일 이내 동일 계약번호(9자리 기준)에 대한 납품요구금액의 합계가 동 기준금액을 초과하는 경우 납품요구를 차단할 수 있음.

5) 할인행사 실시
• 계약상대자는 계약기간 중 각 세부품명(10자리)에 대하여 최대 5회 이내에서 할인행사를 실시할 수 있음. (1회당 7~15일까지)

- 계약기간이 1년 이내인 경우 최대 3회
- 종료 후 20일 이내 동일 세부품명 기준 할인행사 불가
- 할인행사기간 중 중복, 취소, 행사내용 변경 불가(다만, 수량 중량의 변경은 허용)
- 할인행사기간의 합산 일수는 총 계약기간의 6분의 1 초과 불가
※ 할인행사 요청은 할인행사 시작일 3일 이전에 이루어져야 함.

6) 계약기간
• 제3자 단가계약(또는 단가계약)의 기간은 지정기간의 범위 안에서 계약기간을 정할 수 있음

7) 계약의 해제·해지 등
• 다음 어느 하나에 해당하는 경우에는 해당 우수제품에 대한 계약의 전부 또는 일부를 해제·해지 가능
- 제22조에 따라 우수제품 지정이 취소되는 경우
- 관계법령 또는 계약조건에서 정한 해제 또는 해지사유에 해당하는 경우 다만, 「중소기업제품 구매촉진 및 판로지원에 관한 법률」 제11조 제6항에 따라 계약을 해지 또는 해지하는 경우에는 당해 우수제품 계약과 동일한 세부품명의 직접생산위반 행위로 직접생산 확인이 취소된 경우에 한함
- 계약상대자가 제출한 가격자료가 위조 또는 변조되었거나 허위 서류 제출 등 그 밖의 부정한 방법으로 제출한 경우
• 다음 어느 하나에 해당하는 경우에는 계약기간 연장 또는 재계약 배제
- 계약조건에 따른 거래정지의 기간이 경과하지 아니한 경우
- 계약상대자가 관계법령에 따른 부정당업자 제재 중인 경우로 그 체재 기간이 경과되지 아니한 경우
• 최종 규격서가 확정되지 아니한 경우에는 계약 체결 불가
• 다음 어느 하나에 해당하는 경우 신규·재·수정계약 등 계약체결 절차 중지(단, 규격추가 중지 제품이 규격추가 된 경우 수정계약 가능)
- 제22조의 제1항의 지정 취소사유가 발생한 경우 또는 우수제품 지정 증서에 명시된 우수제품과 관련하여 부정당업자 제재 처분 사유가 발생한 경우
- 제1호와 관련 관계기관의 수사 또는 조사, 행정처분절차가 진행 중이거나 심판 또는 소송, 형사재판이 진행 중인 경우
- 제20조의2에 의한 재심사가 진행 중인 경우
※ 다만, 수사·조사 결과, 행정처분, 재결과 또는 판결(하급심 포함) 등으로 계약체결을 진행하지 아니할 특별한 사정이 있는 경우를 제외하고는 계약체결 요청일로부터 6개월 이내에서만 중지

5. 조달우수제품의 관리

1) 우수조달물품 경고 조치
- 협업체 간 협약계약서 내용의 변경 등이 있는 경우 내지 그 밖에 우수제품 생산 등과 관련하여 협업체의 유지가 곤란한 경우의 사유가 발생하였음에도 불구하고, 사유가 발생한 날로부터 30일 이내에 협업 변경 승인 신청을 하지 않은 경우
- 적용기술 또는 적용기술의 권리에 대하여 변동사항이 발생하거나 법규의 제·개정 등으로 변경해야할 경우, 해당사유가 발생한 날로부터 7일 이내에 우수제품과장에게 통보하지 아니한 경우(단, 경미한 변동사항으로서 우수제품의 지정 및 계약에 영향이 없는 것으로 조달청장이 인정하는 경우는 제외) 또는 조달청장의 시정요구에 응하지 아니한 경우
- 가격조사, 우수제품 적용기술의 변동사항 확인 또는 소관부서의 계약관련 자료제출 요구 등에 협조를 거부한 경우
- 지정제품의 납품, 품질, A/S 상태 등 수요기관 만족도 조사결과에 연속 3회이상 '미흡' 평가를 받은 경우

2) 우수조달물품 지정효력 정지 조치
- 우수제품 계약과 관련하여 거래정지 조치한 경우
- 거래정지 조치 해제일까지 지정효력 정지
- 우수제품의 적용 기술이 확정 전인 법원(하급심 포함)의 판결 및 특허심판원의 심결 등에 따라 지정기준을 충족하지 못한 것으로 확인된 경우
- 해당 사유가 확정될 때까지 지정효력 정지(우수제품업체가 승소한 경우 정지되었던 기간을 추가하여 지정기간을 새로이 부여)
- 우수제품업체가 「조달사업에 관한 법률」 제26조 제1항 제1호에 해당하지 않게 된 경우 또는 「중소기업제품 구매촉진 및 판로지원에 관한 법률」 제8조의2 제1항에 해당하는 기업이 된 경우
- 폐업·부도, 부정당제재 등으로 인하여 참여기업이 우수제품 생산·공급을 지속할 수 없는 경우 등의 사유가 발생하여 협업체가 협업 변경 승인절차 진행 중인 경우
- 협업변경 승인일까지 지정효력 정지
- 제품 규격서와 제품설명서 등 신청자료 간에 핵심내용이 불일치하여 최종 규격서를 확정할 수 없는 경우
- 최종 규격서를 확정할 때까지 지정효력 정지
- 기타 우수제품의 지정효력 유지가 상당히 곤란한 경우

3) 우수조달물품 지정취소

• 거짓 또는 부정한 방법으로 우수제품 지정을 받은 경우

• 우수제품 지정기준에 미달하게 된 경우

- 제3조 제1항 각 호에 따른 적용기술이 취소되거나 이에 준하는 사유가 발생한 경우, 다만, 적용기술이 2개 이상인 경우에는 핵심 적용기술의 유효 여부 등을 종합 검토하여 취소 여부를 결정

- 산업재산권 등 타인의 권리를 침해하거나 적용기술의 무효 등이 확인된 경우

• 해당 우수제품과 관련하여 조달업무의 공정한 집행 또는 계약의 적정한 이행을 해칠 우려가 있는 경우

- 부도, 파산, 폐업 등이 확인된 경우(다만, 법원에 의한 회생절차가 개시된 때에는 회생절차의 종료 결과에 따라 취소 여부 결정)

- 제품의 생산 또는 판매에 있어 관련 법령에 따른 허가 등이 선행되어야 함에도 허가 등을 받지 아니한 것으로 일부라도 확인된 경우

- 우수제품으로 지정된 규격이 다수공급자 계약 및 소프트웨어 3자 단가계약으로 체결되었거나 우수조달 공동상표로 지정된 경우. 단, 우수제품 계약을 체결하지 아니하고, 다수공급자 계약 및 소프트웨어 3자 단가계약을 체결하는 경우에는 제외

- 우수제품 지정증서에 명시된 우수제품에 대하여 관계법령에 따라 직접생산 하지 않음이 확인된 경우

- 제8조제7항에 따라 심사항목에서 제외하여야 하는 적용기술이 포함된 경우

- 지정기간(연장기간 포함) 중 제21조에 따라 경고조치를 3회 이상 받은 경우

- 우수제품 지정마크를 제25조에서 정한 내용과 다르게 부정한 내용이나 방법으로 사용했을 경우

- 우수제품 업체가 우수제품 지정증서에 명시된 우수제품과 관련하여 지정기간 중에 2회 이상 또는 제재 기간의 합이 6개월 이상의 부정당업자 제재를 받은 경우

- 기술·품질 심사를 생략하거나 이전 회차의 더 높은 점수를 대체 적용하여 지정받은 우수제품이 이전 회차 신청제품과 다른 경우

- 제15조에 따른 이의신청의 심사결과 이유가 있다고 인정되는 경우

- 제품규격서 상의 '주요자재소요량'에 기재된 부품 중 외국산 부품의 원가계산서 상 직접재료비 비율이 50%를 초과한 제품의 경우(단, 품목 특성 상 외국산 부품 사용이 불가피한 경우는 신기술서비스 업무심의회의 심의를 통해 예외로 결정)

4) 우수조달물품의 사후조사 및 관리활동

• 조달청장은 지정 제품의 납품, 품질, A/S 상태 등 만족도 조사를 실시할 수 있으며 그 평가 결과를 등급화하여 우수제품 관리 및 계약에 활용할 수 있음

- 평가주기는 연 2회 실시를 원칙으로 하며, 수요기관 등에 대한 납기, 품질, 서비스 등 만족도를 평가하기 위한 평가항목 및 평가지표의 데이터는 나라장터 및 종합쇼핑몰 운영시

스템의 데이터베이스에 저장된 우수제품 및 관련 계약 자료에서 추출함

- 조달청장은 수요기관으로부터 불만이 제기된 경우 또는 기타 필요하다고 판단되는 경우에는 해당 제품에 대한 시험검사를 실시하여 지정·계약 관리 등에 활용할 수 있음
- 조달청장은 우수제품의 지속적인 품질관리를 위하여 생산 또는 납품현장, 납품된 물품에 대하여 품질 및 적용기술의 관리상태 등에 대한 사후점검을 할 수 있음.

5) 브로커의 불공정행위 방지

- 계약담당공무원 또는 조사담당공무원은 계약상대자의 우수제품 계약 체결·계약이행 등의 과정, 수요기관의 납품대상업체 선정 등에 브로커가 부당하게 개입하여 공정한 조달질서를 저해하는 행위를 하는 경우 해당 브로커를 형사고발할 수 있으며, 제1항 각호의 위반행위를 확인하기 위하여 계약상대자에게 관련 자료제출을 요청할 수 있음.
- 납품대상업체 선정 등에 관여하고 계약상대자 등에게 이에 대한 대가를 받거나 요구한 경우
- 납품대상업체 선정 등에 영향력을 미칠 수 있음을 암시하는 등 부정한 방법으로 사례를 받고 알선행위를 한 경우
- 계약상대자의 우수제품 계약체결·계약이행 등의 과정, 수요기관의 납품대상업체 선정 등에 부당하게 개입하여 공정한 조달질서를 저해한 경우
- 조달청장은 브로커의 불공정행위와 관련한 세부기준 및 기타 운영에 관한 사항을 별도의 지침으로 마련하여 운영할 수 있음

■ 우수제품 지정절차

지정대상	• 중소, 벤처기업이 생산하는 제품 중 기술과 품질이 우수한 제품 • 우수조달물품지정관리규정 제3조 제1항 참조
신청	• 우수제품 지정신청 온라인 시스템을 통한 신청 가능(신청기간 마감일까지 온라인 시스템을 통해 최종 접수된 건에 한함) - 우수제품 지정신청 온라인 시스템 접속 방법 1) 조달청 홈페이지(www.pps.go.kr → 업무안내 → 주요정책 → 우수제품 → 우수제품지정신청) 2) 조달청 홈페이지(www.pps.go.kr → 바로가기 → 우수제품지정신청)
심사	• 대학교수, 특허심사관, 변리사 등 분야별 전문심사위원이 엄정 심사 - 조달청 인터넷 홈페이지 등을 통해 신청제품 공개 후 이해 관계인의 의견 사전수렴 - 기술 및 품질의 우수성, 벤처기업지원효과 등 종합심사
지정	• 신청기간은 매년 말 조달청 및 나라장터 홈페이지 등을 통해 공고 - 지정기간: 우수제품의 지정기간은 3년이며 해외수출실적, 적용기술 유효여부, 수요기관 납품실적 유무 등을 고려하여 최대 3년 연장
계약	• 제3자단기계약 : 우수제품 지정 후 희망하는 업체가 나라장터 종합쇼핑몰에 우수제품 등록하여 판매를 원하는 경우(담당부서 : 우수제품구매과)

	• 총액계약 : 제품의 성격에 따라 제3자단기계약을 체결하지 않은 우수제품을 구매하고자 하는 경우(담당부서: 조달청 및 각 지방청 계약부서)

[표] 우수제품 지정절차

[출처] 조달청 (http://www.pps.go.kr/kor/jsp/business/main_policy/gp_system.pps)

[그림] 지정신청 절차

[출처] 정부조달우수제품협회(http://www.jungwoo.or.kr/cmsmain.do?scode=S01&pcode=000092)

6. 우수제품의 판로지원

1) 우수제품에 대한 지원
- 우수제품 전시회 참여
- 우수제품제도의 안내를 위한 인쇄물, 제품목록 등의 제작·배포
- 우수제품의 기술 및 품질에 대한 지속적인 개선·개량 등을 위하여 필요한 기타 지원사항
- 나라장터 종합쇼핑몰의 조달우수제품클럽 운영·관리 등

2) 계약을 통한 판로지원
- 수의계약을 통해 공공기관에 우선 공급
- 지정된 우수제품은 단가계약(제3자 단가계약)을 체결하고 나라장터 종합쇼핑몰을 통해 수요기관에 공급
- 우선구매대상 기술개발제품 지정 및 수의계약 법적근거 마련

관련근거
·「국가계약법시행령」제26조 제1항 제3호 "바목"
·「지방계약법시행령」제25조 제1항 제6호 "라목"
·「중소기업제품 구매촉진 및 판로지원에 관한 법률」제14조
·「중소기업제품 구매촉진 및 판로지원에 관한 법률 시행령」제13조

- 공공기관에 우선구매요청 (중소기업제품 구매촉진 및 판로지원에 관한 법률 제13조 및 동법 시행령 제12조)

3) 홍보를 통한 판로지원
- 전시회 개최 등 홍보지원
- 「코리아나장터 엑스포」 등 우수제품 전시회 개최 : 공공기관 구매담당자 및 일반국민 대상 제품 홍보
- '조달청 우수제품소개' 모바일 어플릭레이션을 제작·운영
- 해외시장 개척을 위한 지원
- 해외 시장개척단 파견
- 영문 홈페이지 개설
- 우수제품 테마숍을 통한 홍보
- 나라장터 종합쇼핑몰에 "우수조달물품클럽" 운영
- 우수제품의 브랜드 화
- 우수제품에 대한 이미지 형성 및 우수제품을 브랜드화 하여 육성
- BI(Brand identity)개발: 우수제품 지정마크

※ 우수제품 지정·판로지원 현황

'96년 이후 2017년 12월말까지 4,626개 제품을 지정하였으며, 지정된 제품에 대하여는 2017
년도에 2조 8,206억원의 판로지원이 이루어졌다.

구분	'11	'12	'13	'14	'15	'16	'17	'18	'19	'20	'21
지정 품목	211	306	298	298	214	193	241	263	281	243	244
판로 지원 (억원)	12,638	14,854	19,700	21,113	21,550	23,770	28,206	27,673	32,739	34,948	40,397
연간 지정 횟수	6회	6회	6회	5회	4회	4회	4회	4회	5회	4회	4회

[표] 연도별 우수제품 지정 및 판로지원 현황

[출처] 조달청 (http://www.pps.go.kr/kor/jsp/business/main_policy/gp_system.pps)

7. 지정신청서 작성 요령[10]

(1) 별지 제1호의 1서식(우수제품지정 평가자료)

   가. 기존에 우수제품을 보유하였거나 보유하고 있는 제품은 필히 기재

   나. 세부품명번호(10자리)와 최초 지정시 업체명도 기재

   다. 모델명 및 모델수 : 대표 모델명과 총 지정받은 모델 수 기재

(2) 별지 제1호의 2서식(우수조달물품 지정(연장 · 규격추가)신청 서류제출 신뢰 서약서)

   가. 서약자가 개인사업자인 경우 개인 인감, 법인인 경우 법인인감을 날인

     ※ 경쟁입찰참가자격등록증에 등록된 인감 날인

(3) 별지 제1호의2 '가' 서식(정보공개동의서, 개인정보 수집 · 이용 동의서)

   가. '우수제품지정'에 표기 및 주소, 업체명 기재하고, 서약자가 개인사업자인 경우 개인 인감, 법인인 경우 법인인감을 날인

     ※ 경쟁입찰참가자격등록증에 등록된 인감 날인

   나. 제공 동의 여부 등 해당 항목에 체크 후 서명 날인

(4) 별지 제1호의 3서식(우수제품지정신청서)

   가. 제품명 : 일반적으로 통용되는 명칭으로 기록

     예) 냉장고, 건조기, 현미경, 책상, 의자 등

   나. 모델 및 물품목록정보

     • 시장에 유통되는 모델(규격)명을 기재하며 물품목록번호(18자리)와 모델명을 기재하되, 규격 수는 '추가선택품목'에 해당되는 규격을 제외하고 기재해야 하며, 규격서에서 확인 할 수 있도록 작성

     예) SV-254 (4014218502-12345678) 등 5종

   다. 신청분야 : 제품의 해당 분야를 기록

     ※ 신청제품에 대한 분류는 제품의 용도 등을 고려하여 재분류 할 수 있음

   라. 1차 심사 생략여부는 기존에 심사를 받은 동일품목이 있고 업체가 이전 종합점수가 가장 높은 점수로 대체 희망시 "○" 표시

   마. 주소는 우편물이 전달될 수 있도록 건물명, 층수까지 정확하게 기재

   바. 전화번호는 자동안내시스템 경우 담당 부서의 교환번호까지 기재

   사. 신청인은 업체 대표로 하여야 하며, 개인사업자인 경우 개인 인감, 법인인 경우 법인인감을 날인

     ※ 경쟁입찰참가자격등록증에 등록된 인감 날인

   아. 신청인은 적용기술의 권리자로서 신청제품의 제조 및 조달납품에 관한 모든 권한을 보

---

10) 나라장터종합쇼핑몰 (http://g2b.go.kr:8092/index.jsp)

유한 자이어야 함.

　　자. 물품목록번호는 물품분류번호(10자리)와 식별번호(8자리)로 구성되며, 상품정보시스템
　　　　(http://goods.g2b.go.kr/)에서 신청

　　차. 기타 신청서 기재사항은 사실대로 성실히 작성

(5) 별지 제1호의 4서식(제출서류의 자가점검표)

　　가. 적용기술 관련의 점검항목에 확인 후 종수 기재

　　나. 제품 규격서 관련, 전회차 심사 관련, 품질소명자료 관련, 기술·품질가점 자료 관련
　　　　의 점검항목 확인 후 해당항목에 '√'체크

　　다. 엑셀 파일로 제출

　　※ 신청제품의 제출서류에 대한 자가점검표로 심사시 참고자료로 활용하며, 적정여부는 심
　　　　사시 판단

(6) 별지 제1호의 5서식(제품 설명서)

　　가. 제품명칭 및 신청모델(대표모델)은 우수제품 지정신청서와 같이 기재

　　나. 제품의 일반적 용도 및 기능은 어디에 쓰이는 어떠한 물건인지 신청 제품을 간략히 기
　　　　재

　　다. 제품 사진은 신청제품의 형태, 특성을 가장 적절하게 확인할 수 있는 사진 첨부

　　라. 제품의 특징은 타 제품과 구별되는 차별적 특징, 성능을 열거식으로 기재 (1/3page정
　　　　도)

　　마. 제품에 적용된 기술 내용은 종래 기술의 문제점(한계점)에 대한 기술개발의 필요성 및
　　　　그 기술개발의 난이도, 종래 기술 대비 개발한 기술의 혁신성·창의성·독창성, 신청
　　　　제품의 기능 구현에 있어서 해당 기술이 차지하는 비중 등을 자유롭게 기재 (1~2page
　　　　정도)

　　바. 일반 제품과 대비되는 차별적 품질·성능은 기술이 적용됨으로서 성능·품질 향상에
　　　　기여하는 비중, 조달물자로서의 품질·성능 신뢰성 등을 자유롭게 기재 (1~2page 정
　　　　도)

　　　　※ 차별적 품질·성능을 확인할 수 있는 객관적 자료(인증, 시험성적서 등)를 함께 제
　　　　시

　　사. 신청 모델(규격)은 대표 모델과 나머지 모델의 구분 기준을 모델명, 크기, 재질, 용량
　　　　등으로 구분하여 표로 정리

　　아. 전회 차 심사의견에 대한 보완사항은 전회 차 심사 때 기술한 품질, 성능 이외에 실질
　　　　적인 제품 개선이 있는 경우 해당내용을 구체적으로 서술(1/2~1page정도), 실질적 제
　　　　품 개선이 없는 경우 보완 내용에 '기존과 동일'로 작성

(7) 별지 제1호의 7서식(경제성효과(LCC) 원가분석 총괄표)

　가. 업체의 선택사항으로 신청제품의 대표규격에 한함

　나. 회계예규 예정가격작성기준 제31조에 의한 원가계산용역기관의 요건을 갖춘 공인 원가
계산기관이 발행한 것이어야 하며, 신청업체는「경제성효과(LCC) 원가분석 총괄표(별지
제1호의 8서식)」와「경제성효과(LCC)원가 계산서」를 제출

　다. 신청업체 또는 다른 업체의 유사제품과 비교하여야 하고, 제출·평가 시 가점 부여(제
출여부는 업체의 선택사항임)

　라. 경제성효과는 취득원가+사용원가+폐기원가로 구성

(8) 별지 제1호의 8서식(신청사항 요약서)

　가. 1항 제품(물품, 소프트웨어) 및 심사방법(일반제품, 가구제품, 소프트웨어제품, 연구개
발제품, 혁신제품, 성장 유망 제품)은 해당 제품 및 심사방법에 체크

　※ 소프트웨어제품은 저작권등록권 GS인증 제품 중 심사특례로 심사를 받길 원할 경우,
연구개발제품은 연구개발 사업을 추진하는 기관의 장과 조달청장이 공동으로 시행한
기술개발 지원사업에 따라 기술개발에 성공한 제품인 경우, 혁신제품은 조달청장이
구매하여 실증 결과 성공으로 판정된 제품인 경우, 성장 유망 제품은 8대 선도 산업
제품·미래 성장동력 분야 등 미래 유망 산업인 경우(아래 표에 명시된 신청제품)에
체크

순번	분야	성장유망제품	세부품명번호
1	드론	드론	2513189901
2	에너지신산업	초소형 승용전기차	2510150903
3		태양광발전장치	2611160701
4		지열히트펌프	4010180603
5	초연결지능화	3차원 프린터	2326150701
6		출입통제시스템	4617161901
7	스마트시티	무인교통감시장치	4617168501
8		빌딩자동제어장치	3912180101
9		주차제어장치	2410168901
10		보행자 자동인식신호기	4616152603
11	기타	성장유망제품으로 신기술서비스업무심의회에서 결정한 신청제품	

[그림] 성장유망제품군

　나. 6항은 해외진출실적[별지 1호의 15호서식]의 합계금액을 기재

　다. 11항 '타인 산업재산권과의 관계'는 반드시 기재하고, 없으면 '해당 없음' 표기

　※ 지정 이후에도 해당사항이 발견되어 문제가 될 경우 우수제품 지정 취소사유에 해당

(9) 별지 제1호의 9서식(구성대비표)

　가. 신청제품에 적용된 특허, 등록실용신안 사항을 건별로 기재

　　※ 등록일로부터 7년이 경과된 특허 및 3년이 경과된 실용신안, 통상실시권으로 신청하는 경우 제외

　나. 청구항과 신청제품의 대비는 모든 청구항과 대비할 필요는 없으며, 어느 하나의 독립 청구항과 신청제품을 대비하여 기재

(10) 별지 제1호의 9 '가'서식(신청 모델(규격)내역)

　가. 신청모델명에 '추가선택품목'에 해당되는 규격은 일반규격과 구분되게 '추가선택품목'으로 기재

　나. 핵심기술에는 적용된 기술(특허)가 2개 이상인 경우 그 중 평가에 기초가 된 가장 핵심적인 기술(특허)번호를 기재

　다. 전체 모델에 대하여 각각 세부품명번호, 식별번호 및 적용된 기술인증(특허, NET, NEP 등), 품질인증(성능인증 K마크 등) 사항을 건별로 기재

　라. 일부 모델에 기술인증 또는 품질인증이 미반영 되었을 경우, 비고란에 사유를 기재

　마. 엑셀 파일로 제출

(11) 별지 제1호의 12 '가'서식(법적 의무 인증/지침 자가 확인서)

　가. 세부품명은 세부품명 및 세부품명번호(10자리) 기재

　나. 인증명은 인증명칭, 취득여부 O 또는 X 기재

　다. 지침명은 해당 인증에 대한 관련 지침명, 충족여부는 O 또는 X 기재

　라. 법적 의무인증 취득이 필요한 제품인 경우 관련 증빙서류를 필이 제출

제출서류 예시
·전기용품안전관리법에 의한 전기용품안전인증서 사본
·정보통신기기인증규칙에 의한 정보통신기기인증서(전자파적합등록) 사본
·자동차관리법에 의한 형식승인서(기술검토서) 사본
·약사법에 의한 의료용구제조품목허가증 사본
·고압가스안전관리법에 의한 냉동기제조등록필증 사본
·수도법에 의한 위생안전기준 인증서 등

(12) 별지 제1호의 12서식(제품 규격서)

　가. 개요, 규격, 구성, 재료, 형태, 제조 및 가공, 기능 및 성능, 하자보증, 포장 및 표시, 적용자료를 누락없이 작성

　나. 규격서는 A4용지에 글자크기 12포인트, 글자체 휴면명조로 작성하고 PDF형식으로 제출

　다. 주요 자재 소요량 작성시 유의사항

- 규격치수(단위): 모델별 치수를 기재하되, 필요시 기준단위로 기재
- 모델별 소요되는 자재에 제시한 적용기술을 반드시 포함하여 기재
  √ 특허기술에 적용된 부품이 있는 경우(특허공보의 구성항 요소) 소요부품으로 반드시 구분하여 명시
- 단위 및 수량은 기술·품질소명자료와 일치하게 기재하되, 범위가 아닌 수치 기입
- 제조사가 명시된 인증 제품인 경우 비고란에 제조사 기재
  ※ SW제품의 경우 주요자재 소요량 기재는 생략 가능
라. 품질기준 작성 시 유의사항
- 제품설명서에 제시한 규격(비교가능, 납품가능 규격)과 동일한 기준 기재
- 자사 제시 규격이나, 적용된 품질인증 이상의 기준 작성
- '신청 상 최대값'은 시험성적서 등 우수제품 지정신청서에 포함된 서류 중 해당항목의 최대값을 기입
- 해당 항목에 대한 비교 기준이 없는 경우 비교가능규격의 작성은 생략 가능
- 작성 규격은 우수조달물품 1차 심사 시 품질심사에 반영되며, 지정 이후 최종규격서의 제품 품질기준에 반영되므로 정확히 작성할 것
※ '16년부터 제품설명(PT)은 제품규격서와 신청시 제출한 서류로만 가능

(13) 별지 제1호의 13서식(기술·성능비교표)
가. 적용기술(신제품, 신기술은 수반된 기술을 반드시 포함)을 모두 기재
나. 제품특징 및 기능은 제품의 특장점이 잘 드러나도록 간략하게 작성(200자 내외)
다. 주요구성은 주요 구성부 또는 부품 등을 기입(하나의 구성으로 된 완제품일 경우 또는 특성상 기입이 필요할 경우 재료를 기입)
라. 용도는 간략한 일반적인 용도 기입(50자 내외)
마. 제품의 특징을 나타낼 수 있는 대표 이미지, 글자체는 바탕체, 9point
바. 비교 제품의 경우 지정된 우수제품(자사 또는 타사)와 비교해야 하며, 지정된 우수제품이 없는 경우 일반제품과 비교
  ※ 기 지정된 우수제품은 확인이 가능하므로 반드시 사실대로 기재하여야 하며, 우수제품과 비교할 경우 비교제품의 지정번호(7자리)를 반드시 기재

(14) 별지 제1호의 14서식(약정서)
가. 적용기술(신제품, 신기술 등에 수반된 기술을 포함)의 권리자가 공동권리자인 경우 약정서 및 인감증명서를 함께 제출
  * 단, 공동권리자가 대기업인 경우, 약정서를 제출하지 않아도 됨.

(15) 별지 제1호의 15서식(해외진출실적)

    가. 우수제품지정 신인도 심사 시 해외수출실적은 신청서 접수 마감일 전월을 기준 최근 5년간 수출 총액으로 차등 가점을 부여하며, 수출신고필증(또는 구매확인서) 등 아래 증빙서류를 모두 제출해야만 가점 인정

    나. 증빙서류
        - 직접수출 : 수출실적증명서(무역협회 또는 한국무역통계진흥원 등의 관세청 발급 대행기관 발급), 수출신고필증(수출이행)
        - 간접수출 : 수출실적증명서(외국환은행 또는 전자무역 기반 사업자 <(주)한국무역정보통신>) 및 구매확인서, 영세율 세금 계산서, 대금입금확인서류, 수출신고필증(수출이행)
    ※ 수출신고필증(수출이행)은 제조자가 신청업체와 동일한 경우에만 인정하며, 제조자가 상이하거나 미상인 경우 불인정(다만, 간접수출의 경우 수출신고 필증 상 제조자가 상이하나 해당서류의 신고인 기재란 등에 신청업체가 제조했음을 확인할 수 있는 경우에는 인정)

(16) 별지 제1호의 16서식(신인도심사 자기평가표)

    가. 해당항목에 "√" 또는 "○"로 체크하고 자기평점(소계, 합계)을 기재하여야 하며, 체크한 증빙서류를 반드시 첨부

    나. ②,③에 대한 평가는 신청제품과 동일제품(품명)에 대한 인증으로 함.

    다. 신인도 가점항목 자료 중 유효기간이 정해지지 아니한 경우에는 우수제품신청서 마감일 기준 2년 이내의 자료만 가점으로 인정

    라. 협업체로 신청시 신인도 평가대상은 추진기업임

    마. 우수제품 지정신청서 접수마감일 기준 1년 이내에 제11조의2 제2항에 따른 통보의무를 위반했는지 확인하여 평점 기재

    바. ①, ②, ③, ④, ⑤, ⑥의 합계는 5점을 초과할 수 없음.

    사. 신청업체의 신청자 또는 담당자 서명 날인

    아. 심사특례(저작권 등록된 SW제품, 혁신제품, 연구개발제품)로 신청하는 경우 신인도 자기평가표 및 관련 자료 미제출 가능

    자. 참고사항 : ⑤항의 '나'항목(고용증가율)의 경우 '21.12.31일까지 적용

※ 주의사항

우수조달물품 지정신청에 필요한 서식은[별지 제1호 서식]에 해당되며, 나머지 서식은 우수조달물품지정신청과 무관한 서류임.

8. 온라인 시스템 접수방법[11)]

1) 조달청 홈페이지(http://www.pps.go.kr ⇒ 조달업무 ⇒ 물품구매 ⇒ 우수제품 ⇒ 우수제품지정신청)

2) 조달청 홈페이지(http://www.pps.go.kr ⇒ 바로가기 ⇒ 우수제품지정신청)

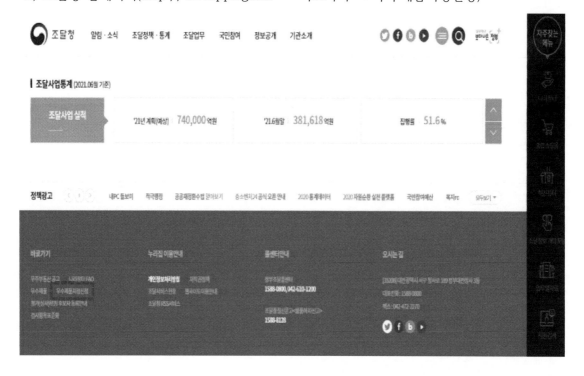

---

11) 나라장터종합쇼핑몰 (http://g2b.go.kr:8092/index.jsp)

3) 우수제품협회 홈페이지(http://www.jungwoo.or.kr) ⇒ 메인화면 및 팝업

• 신청서 양식 Download 및 우수조달물품 지정제도 검색
 - 지정제도 소개, 공지사항, 우수제품 지정현황 등 게시
 - '각종서식', '우수조달물품 지정제도 안내책자' 등 다운로드 가능

9. 나라장터 이용자 등록방법[12]

1) 나라장터(www.g2b.go.kr) 사이트에 접속한 다음 [신규이용자 등록] 메뉴를 선택합니다.
- 홈페이지 접속 후 오른쪽 상단에 위치한 신규이용자 등록 클릭

2) 조달업체/비축물자 이용업체에서 [③조달업체 이용자]를 선택합니다.

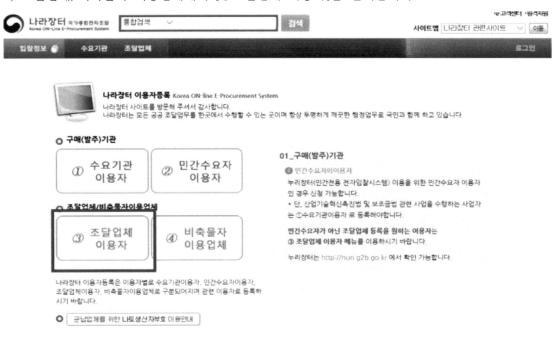

---

12) 한국조달인증원(KPC)

3) 이용약관 동의 후 입찰참가자격 등록신청서를 작성한 다음, "임시저장" 또는 "송신"

① 임시저장내용 불러오기

- 이전에 임시저장 중이거나 입찰참가자격 등록/변경 신청을 취소한 내용을, 사업자번호로 검색하여 작성한 내용을 불러올 수 있다.

② 기본사항 등록

- 업체의 기본 정보를 입력
- 영문 상호명은 한글 입력도 가능하지만, 가능하면 영문으로 입력

③ 대표자 정보 입력

- 업체의 대표자 정보를 입력
- 대표자 정보는 1인 이상 반드시 등록, 대표자 추가시에는 실명인증을 해야함
- 대표자가 외국인일 경우에는 주민번호가 자동으로 입력되며, 실명인증은 생략
- 지문인식 비대상 전자입찰에 참여할 경우, 대표자의 신원확인이 가능한 개인인증서가 추가로 필요

④ 공급물품 등록

- 업체가 공급하는 물품이 있다면 입력
- 세부품명, 세부품명번호, 대표물품여부를 모두 입력한 뒤 "행추가" 클릭하여 공급물품 추가

[공급물품] ⊟ 클릭하면 정보를 숨길 수 있습니다. ①

| *세부품명 ② | 🔍 | *세부품명번호 | [목록품목조회] |
| *대표물품여부 | ○Yes ●No | | └(세부품명 검색시, 자동 입력) |

③ ※ 내역 입력후 반드시 행추가 버튼을 눌러주세요. [초기화] [행추가]

| No. | 세부품명 | 세부품명번호 | 대표물품여부 |

[공장정보] (제조업체만 기재) ⊞ 클릭하면 정보를 입력할 수 있습니다.
※ 공장주소는 수정이 불가하오니 해당 공장 삭제 후 새로 입력하시기 바랍니다.

[제조물품(직접생산용역)] (제조물품을 증명할 수 있는 서류제출 필요) ⊞ 클릭하면 정보를 입력할 수 있습니다.

[공사·용역·기타업종] ⊞ 클릭하면 정보를 입력할 수 있습니다.

[입찰대리인] ⊞ 클릭하면 정보를 입력할 수 있습니다.

⑤ 공장정보

- 등록하려는 업체가 제조업체일 경우 반드시 입력해야하는 정보로, 공장정보를 입력할 경우, 반드시 제조물품을 1개 이상 입력

[공장정보] >>> 제조업체의 경우, 반드시 입력!!!
　　　　　　　　공장정보는 수정이 안됨으로 삭제 후 다시 등록해야 합니다.

*공장명		전화번호	☐-☐-☐
*우편번호	🔍	팩스번호	☐-☐-☐
*주소			
*공장임대여부	●자가 ○임대	공장임대기간	☐📅 ~ ☐📅

※ 내역 입력후 반드시 행추가 버튼을 눌러주세요. [초기화] **행추가**

| No. | 공장명 | 우편번호 | 공장정보 입력 후 반드시 "행추가" 버튼 클릭하여 공장 추가!!! |
| | 팩스번호 | 임대여부 | 임대시작일자 | 임대종료일자 |

▼ 공장정보 입력할 경우 반드시 제조물품 1개 이상 입력!!

[제조물품(직접생산용역)] (제조물품을 증명할 수 있는 서류제출 필요) ⊟ 클릭하면 정보를 숨길 수 있습니다.

| *세부품명 | 🔍 | *세부품명번호 | [목록품목조회] |

중소기업자간 경쟁물품(입찰)의 경우 중소기업중앙회 발행 직접생산증명서 제출

중기간경쟁제품

*제조물품 갱신등록신청 여부 ❓		●등록/등록유효기간 갱신 ○변경
*제조증명서류 ❓	○직접생산증명서류 ○공장등록증 ○건축물관리대장(직접생산확인신청서) ❓ ○생산(제조)인가.허가.등록증
*대표물품여부	○Yes ●No	공장이전여부	○Yes ○No
공장형태	○자가 ○임대	유효기간	☐📅 ~ ☐📅
공장의업종(분류코드)		납품실적증명서 유무	○유 ○무
발급자명		증서명	

※ 내역 입력후 반드시 행추가 버튼을 눌러주세요. [초기화] [행추가]

No.	세부품명	세부품명번호	제조증명서류	갱신등록신청여부
	대표물품여부	납품실적증명서여부	제조물품 유효기간	등록 유효기간 ❓
	공장형태	공장이전여부	공장의업종(분류코드)	발급자명	증서명

중소기업자에 한해서 직접생산확인증명서를 발급받은 후 신청해야 하므로,
"중기간 경쟁제품" 버튼을 클릭하여 중기간 경쟁제품에 해당되는지 먼저 확인!!!

※ 중기간경쟁제품 확인
- 중기간 경쟁제품은 중소기업자에 한해서 직접생산확인증명서를 발급받은 후 신청해야 하므로, "중기간경쟁제품"버튼을 클릭하여 중기간 경쟁제품에 해당되는지 반드시 확인 필요

⑥ 공사, 용역, 기타업종 등록
- 기타 업종일 경우 해당 내용을 추가
- 기타 업종: 공사, 용역 업종이나 물품제조, 판매, 유통 등

i) 업종명 검색

ii) 등록번호 검색

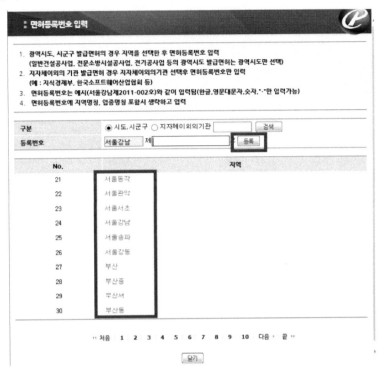

- 발급면허의 경우 광역시도, 시군구 지역을 선택 후, 면허등록번호를 입력
  (건설공사업, 소방시설공사업, 전기공사업의 발급면허는 광역시도만 선택)
- 지자체 이외의 기관의 발급면허의 경우, 지자체이외기관 선택 후 면허등록번호 입력

⑦ 입찰대리인 등록
- 입찰대리인은 필수입력 항목이 아님(대리인이 없으면 입력하지 않아도 됨)

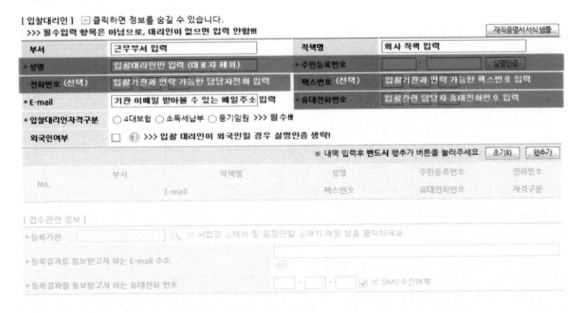

‣ 각 항목 입력 내용
 - 부서: 근무부서 입력
 - 직책명: 회사의 직책 입력
 - 성명 및 주민등록 번호
   : 입찰 대리인만 입력(대표자 제외)
   : 입찰 대리인이 외국인일 경우, 실명인증 생략
 - 전화번호 및 팩스번호: 입찰기관과 연락 가능한 담당자전화 및 팩스번호 입력
 - 이메일: 기관에서 이메일로 문서를 보낼 시 받아볼 수 있는 메일주소 기입
 - 휴대폰번호: 입찰관련 담당자 휴대폰번호 기입
 - 입찰대리인자격구분: 4대보험, 소득세납부, 등기임원 중 필수 체크
 - 외국인여부: 입찰 대리인이 외국인일 경우 체크

‣ 입찰대리인 제출서류
[임원] ① 법인등기부등본
       ② 재직증명서
[직원] ① 4대보험 가입증명서 중 택 1
         (국민연금, 건강보험, 산재보험, 고용보험)
       ② 재직증명서

※ **입찰대리인 등록 시 유의사항**
- 재직증명서는 나라장터에 등록되어 있는 사용인감으로 날인
  사용인감이 등록되지 않은 경우에는 인감증명서(최근 3개월 이내 발급)를 제출하고 인감증명서상의 인감 날인
- 대표자 또는 입찰대리인이 지문보안토큰(지문등록기계)에 지문을 등록하고자 할 경우 지문을 등록하고자 하는 분이 직접 방문
  신분증, '기존에 보유한 지문보안토큰' 또는 '새로 구입한 지문보안토큰 수령증'을 지참
- 4대보험 가입증명서에는 등록하고자 하는 대리인의 ①이름 ②가입일자 ③소속업체명이 모두 명기되어야 함
  ex) 국민연금의 경우: 국민연금가입자 가입증명/ 건강보험의 경우: 건강보험자격득실확인서

⑧ 접수관련 정보
- 등록기관은 해당서류를 보내 처리할 기관이므로 서류 처리를 하기에 편리한 기관을 선택
- 이메일 항목에 입력한 이메일로 승인 및 반려 결과가 이메일로 통보되며, 통보받고자 하는
  이메일이 여러 건일 경우 쉼표(,)fh 구분하여 최대 100자까지 입력할 수 있다.

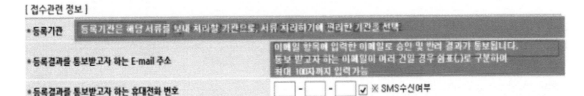

⑨ 행정정보 공동이용 사전동의서 및 청렴계약 이행서약서
- 행정정보 공동이용 사전동의서와 청렴계약 이행서약서에 동의해야 등록이 가능

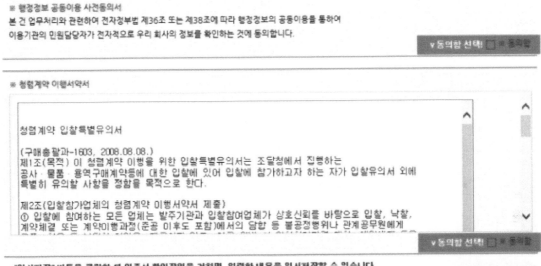

- "임시저장"버튼을 클릭한 뒤 인증서 확인 ⇒ 입력한 내용 임시저장
- "송신"버튼을 클릭한 뒤 인증서 확인 ⇒ 입력한 입찰참가자격등록 신청서를 송신
- 송신 후, 조달업체 담당자는 입찰참가자격등록 신청서와 구비 서류를 확인하고 등록기관(접
  수지청)에 구비서류를 우편으로 송부

※ 유의사항
- 임시저장 시, 접수관련정보, 기본사항, 대표자정보는 반드시 입력되어있어야 함
- 송신 시, 제조물품, 공급물품, 공사-용역-기타업종 중 하나 이상이 반드시 입력되어있어야
    함(여러개 입력 가능)

4) 나라장터 신규업체등록(입찰참가자격 등록) 확인 및 시행문 출력
- 나라장터 신규업체등록(입찰참가자격 등록)된 내용은 "나라장터 메인 ⇒ 신규이용자등록 ⇒
조달업체이용자 ⇒ 등록신청확인 및 시행문출력"에서 진행상태를 확인할 수 있다.

IV. 우수제품 지정현황

IV. 우수제품 지정현황[13]

1. 전기ㆍ전자

1) 잔광제거 기능이 향상된 고백색성 LED 조명
- 회사명: ㈜네오스라이트
- 지정번호: 2023002
- 물품분류명: LED실내조명등

  ‣ 규격모델
    • NL-EA-FL31N50 등 1종
  ‣ 인증내역
    • 고효율기자재(제 70308호) : 20220805~20250804
    • 고효율기자재(제 71858호) : 20220805~20250804
    • 고효율기자재(제 70311호) : 20220805~20250804
    • 고효율기자재(제 70310호) : 20220805~20250804
    • 고효율기자재(제 70309호) : 20220805~20250804
    • 고효율기자재(제 70307호) : 20220805~20250804
    • 특허 실용신안(제 10-2365559호) : 20220216~20410818

2) 불감대 영역의 유량 측정이 가능한 전자식 유량계
- 회사명: 한국유체기술(주)
- 지정번호: 2023009
- 물품분류명: 유량계

  ‣ 규격모델
    • KFT-8200PLUS-HP-050S 등 22 종
  ‣ 인증내역
    • K마크(PB12023-015) : 20230119~20260118
    • 특허 실용신안(10-2269482) : 20210621~20400731

---

13) 조달청 (http://www.pps.go.kr/kor/jsp/business/main_policy/gp_present.pps)

3) 특수 수직화된 CNT 레이어 시트를 이용한 장수명 LED 등기구
- 회사명: 새빛이앤엘 주식회사
- 지정번호: 2023001
- 물품분류명: 다운라이트설비

‣ 규격모델
  • SVB-6DL10 등 3종
‣ 인증내역
  • 특허 실용신안(10-2321545) : 20211029~20410629
  • 고효율기자재(61393) : 20210915~20240914
  • 고효율기자재(61343) : 20210915~20240914
  • 고효율기자재(61340) : 20210915~20240914
  • 고효율기자재(61395) : 20210915~20240914
  • 고효율기자재(61391) : 20210915~20240914
  • 고효율기자재(61396) : 20210915~20240914
  • 고효율기자재(61392) : 20210915~20240914
  • 고효율기자재(60792) : 20210817~20240816
  • 고효율기자재(60796) : 20210817~20240816
  • 고효율기자재(60872) : 20210818~20240817
  • 고효율기자재(60873) : 20210818~20240817
  • 고효율기자재(60922) : 20210819~20240818
  • 고효율기자재(60921) : 20210819~20240818
  • 고효율기자재(61342) : 20210915~20240914
  • 고효율기자재(61344) : 20210915~20240914

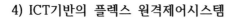

4) ICT기반의 플렉스 원격제어시스템
- 회사명: (주)씨엔에프텍
- 지정번호: 2023004
- 물품분류명: 계장제어장치

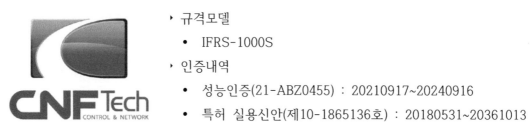

‣ 규격모델
  • IFRS-1000S
‣ 인증내역
  • 성능인증(21-ABZ0455) : 20210917~20240916
  • 특허 실용신안(제10-1865136호) : 20180531~20361013

5) 라인디텍션시스템
- 회사명: 주식회사 세렉스
- 지정번호: 2023011
- 물품분류명: 융복합감시및탐지장비

‣ 규격모델
  • LDS-01-NC 외 1종
‣ 인증내역
  • 특허 실용신안(10-1965412) : 20190328~20380212
  • 성능인증(21-ACZ0297) : 20210701~20231006

6) 탄소융합소재 인쇄회로기판 및 탄소내함베이스를 이용하여, 성능이 향상된 바닥형보행신호등
- 회사명: 에이펙스인텍 (주)
- 지정번호: 2023005
- 물품분류명: 교통신호등

‣ 규격모델
  • GGT-KL-E 1종
‣ 인증내역
  • 특허 실용신안(제10-1839917호) : 20180313~20370927
  • 특허 실용신안(제10-1839920호) : 20180313~20370927
  • 특허 실용신안(제10-2412881호) : 20220621~20420325
  • K마크(PC12022-187) : 20220727~20240519
  • NEP(NEP-MOTIE-2020-064) : 20220211~20230520

7) 반사판을 이용한 완전 대칭형 LED투광등

- 회사명: 주식회사 마루라이팅
- 지정번호: 2023003
- 물품분류명: 투광조명

‣ 규격모델
  • MSE100Z 외 5종
‣ 인증내역
  • 고효율기자재(제24269호) : 20210627~20240626
  • 환경마크(제20122호) : 20210621~20240526
  • 특허 실용신안(10-2151094) : 20200827~20330927
  • 고효율기자재(제24816호) : 20210705~20240704
  • 고효율기자재(제24643호) : 20210705~20240704
  • 고효율기자재(제50113호) : 20200825~20230824
  • 고효율기자재(제59230호) : 20210624~20240623
  • 고효율기자재(제59225호) : 20210624~20240623

8) 초음파 디펜스 제거형 수위계

- 회사명: 주식회사 우리기술
- 지정번호: 2023010
- 물품분류명: 수위관리및조절기구

‣ 규격모델
  • K-Level
‣ 인증내역
  • 특허 실용신안(제 2170964호) : 20201022~20391017
  • 성능인증(22-GBC0119) : 20220204~20250203

9) 마찰 댐퍼를 적용한 변위제어 기능의 0.8g급 내진형 변압기

- 회사명: (주)에너테크
- 지정번호: 2023006
- 물품분류명: 배전용변압기

‣ 규격모델
  • HTM-66S-100 등 96종
‣ 인증내역
  • 성능인증(22-ABD0297) : 20220727~20250726
  • 특허 실용신안(10-2286047) : 20210729~20410226

10) 스마트 사면 붕괴 예.경보 시스템

- 회사명: 주식회사 스마트지오텍
- 지정번호: 2023007
- 물품분류명: 변위측정기

‣ 규격모델
  - SCS Sensor
‣ 인증내역
  - (제2020-0322호) : 20221230~20251229
  - NET(제2021-19호) : 20210604~20260603

11) 지향각이 조절된 발광소자 패키지를 이용한 LED 전광판

- 회사명: 디아이디시스템 주식회사
- 지정번호: 2023008
- 물품분류명: 전광판

‣ 규격모델
  - DID- S200F
‣ 인증내역
  - 성능인증(22-ABI0365) : 20220830~20250829
  - 특허 실용신안(10-1970938) : 20190415~20301129

12) 수배전반

- 회사명: 지투파워 주식회사
- 지정번호: 2022234
- 물품분류명: 배전반

G2 power

‣ 규격모델
  - G2P-EU-EH-VCBM 등 582종
‣ 인증내역
  - NET(1422) : 20220922~20240921
  - K마크(PC12022-196) : 20220728~20250501
  - K마크(PC12022-197) : 20220728~20250501
  - K마크(PC12022-198) : 20220728~20250501
  - K마크(PC12022-199) : 20220728~20250501

13) 멀티센서를 활용한 화재 감지 및 예방기능을 갖춘 태양광발전장치

- 회사명: 주식회사 정우엔지니어링
- 지정번호: 2022238
- 물품분류명: 태양광발전장치

‣ 규격모델
  - JWEN2-100KP 등 22 모델
‣ 인증내역
  - 특허 실용신안(10-2227877) : 20210309~20400917
  - K마크(PC12022-179) : 20220725~20230805
  - 특허 실용신안(10-2230548) : 20210316~20310425
  - GS(22-0017) : 20220929~20281231

14) 태양광발전장치

- 회사명: 지투파워 주식회사
- 지정번호: 2022237
- 물품분류명: 태양광발전장치

‣ 규격모델
  - G2P-104S-P 등 216종
‣ 인증내역
  - NET(1330) : 20210929~20230928
  - K마크(PC12022-111) : 20220502~20250501

15) 레버형 부스바 접속키트를 이용한 무정전 교체가 가능한 분전반

- 회사명: 이노피 주식회사
- 지정번호: 2022236
- 물품분류명: 분전반

‣ 규격모델
  - INOP-D54-E2 등 36종
‣ 인증내역
  - 특허 실용신안(10-1886116) : 20180801~20380308
  - 성능인증(22ABD0057) : 20220204~20250203

16) 저비트 계조의 PWM 드라이브 IC를 이용하여 고비트 계조의 PWM 기능을 구현하는 LED 전광판

- 회사명: (주)대한전광
- 지정번호: 2022245
- 물품분류명: 전광판

‣ 규격모델
  • DHC-300
‣ 인증내역
  • 특허 실용신안(10-2219098) : 20210217~20401209
  • 성능인증(22-ABI0382) : 20220915~20250914
  • GS(12-0008) : 20120406~20321231

17) 열전도성 필름을 적용한 LED 실내등기구

- 회사명: 주식회사 블루싸이언스
- 지정번호: 2022246
- 물품분류명: LED실내조명등

‣ 규격모델
  • HLFP-N50WE13SPUSB 등 2종
‣ 인증내역
  • 고효율기자재(제67693호) : 20220323~20250322
  • 고효율기자재(제66117호) : 20220316~20250315
  • 고효율기자재(제66314호) : 20220323~20250322
  • 환경마크(제12067호) : 20220509~20250508
  • 환경마크(제13038호) : 20201228~20231209
  • 특허 실용신안(제10-2334295호) : 20211129~20390926

18) 특수 광학 설계 렌즈를 적용하여 광효율 및 제품 수명을 향상시킨 LED 고보조명

- 회사명: 주식회사 빛글
- 지정번호: 2022247
- 물품분류명: 경관조명

‣ 규격모델
  • 픽시스50D 등 1종
‣ 인증내역
  • 성능인증(22-ABI0234) : 20220513~20250512
  • 특허 실용신안(10-2218927) : 20210217~20400820

19) LED 전광판
- 회사명: 주식회사엘앤디테크
- 지정번호: 2022242
- 물품분류명: 전광판

‣ 규격모델
- LD-VMS300-9000x1800
‣ 인증내역
- (혁신조달운영과-5517) : 20221019~20281231

20) ESS 및 무효전력보상 기능을 갖는 무정전전원장치
- 회사명: 대농산업전기 주식회사
- 지정번호: 2022243
- 물품분류명: 무정전전원장치

‣ 규격모델
- PPUEB-1003-0 등 720종

‣ 인증내역
- 특허 실용신안(제10-2142074 호) : 20200731~20380702
- 특허 실용신안(제10-2223422 호) : 20210226~20380713
- 성능인증(22-ABI0157) : 20220418~20250417

21) 열방출 특성이 개선된 LED 등기구 전용 인쇄회로기판을 적용한 LED 조명
- 회사명: 에코디바이스코리아 주식회사
- 지정번호: 2022249
- 물품분류명: LED실내조명등

‣ 규격모델
- EE1330M7-050DZ
‣ 인증내역
- 고효율기자재(67580) : 20220430~20250429
- 고효율기자재(67390) : 20220429~20250428
- 고효율기자재(67355) : 20220430~20250429
- 고효율기자재(67354) : 20220430~20250429
- 고효율기자재(67388) : 20220429~20250428
- 고효율기자재(67358) : 20220430~20250429
- 특허 실용신안(10-2103172) : 20200416~20391216

22) 바운스 라이트 LED조명등기구

- 회사명: 주식회사 바이더엠
- 지정번호: 2022251
- 물품분류명: LED실내조명등

‣ 규격모델
  ● BM53-2057-R36E 등 7종
‣ 인증내역
  ● 환경마크(제22031호) : 20220511~20250510
  ● 특허 실용신안(제10-2020984호) : 20190905~20370904
  ● 고효율기자재(등기구 제53030호) : 20201130~20231129
  ● 고효율기자재(등기구 제53035호) : 20201130~20231129
  ● 고효율기자재(등기구 제53051호) : 20201130~20231129
  ● 고효율기자재(등기구 제53032호) : 20201130~20231129
  ● 고효율기자재(등기구 제53034호) : 20201130~20231129
  ● 고효율기자재(등기구 제67771호) : 20220511~20250510
  ● 고효율기자재(등기구 제67775호) : 20220511~20250510

23) 안전 그리드 시스템을 갖춘 내진형 배전반

- 회사명: 주식회사일렉콤
- 지정번호: 2022233
- 물품분류명: 배전반

‣ 규격모델
  ● EASS-PKG-100(M) 등 761 종
‣ 인증내역
  ● 특허 실용신안(제10-2307018호) : 20210924~20410517
  ● (22-1-0174) : 20220706~20250705
  ● 자가품질(제2022-41호) : 20221001~20250930
  ● GS(22-0014) : 20220622~20281231
  ● 특허 실용신안(제10-1969871호) : 20190411~20370524
  ● K마크(PC12022-143) : 20220706~20240330
  ● K마크(PC12022-144) : 20220706~20240330 K
  ● 마크(PC12022-145) : 20220706~20240330
  ● K마크(PC12022-146) : 20220706~20240330
  ● (22-1-0171) : 20220706~20250705
  ● (22-1-0172) : 20220706~20250705
  ● (22-1-0173) : 20220706~20250705

24) LED 실장 능력을 개선하여 광 효율을 극대화 시킨 LED 조명기기

- 회사명: (주)코리아반도체조명
- 지정번호: 2022248
- 물품분류명: 도로조명설비

‣ 규격모델
  - KTL200-SS-D 등 11종
‣ 인증내역
  - 특허 실용신안(10-2257937) : 20210524~20410112
  - 고효율기자재(제65533호) : 20220216~20250215
  - 고효율기자재(제65532호) : 20220216~20250215
  - 고효율기자재(제65536호) : 20220216~20250215
  - 고효율기자재(제64418호) : 20211229~20241228
  - 고효율기자재(제59051호) : 20210617~20240616
  - 고효율기자재(제64419호) : 20211229~20241228
  - 고효율기자재(제59048호) : 20210614~20240613
  - 고효율기자재(제64425호) : 20211229~20241228
  - 고효율기자재(제64416호) : 20211229~20241228
  - 고효율기자재(제59049호) : 20210617~20240616
  - 고효율기자재(제65537호) : 20220216~20250215
  - 고효율기자재(제64428호) : 20211229~20241228
  - 고효율기자재(제64420호) : 20211229~20241228
  - 고효율기자재(제59050호) : 20210617~20240616
  - 고효율기자재(제64423호) : 20211229~20241228
  - 고효율기자재(제64422호) : 20211229~20241228
  - 고효율기자재(제65521호) : 20220216~20250215
  - 고효율기자재(제65539호) : 20220216~20250215
  - 고효율기자재(제65522호) : 20220216~20250215
  - 고효율기자재(제65538호) : 20220216~20250215
  - 고효율기자재(제65551호) : 20220216~20250215
  - 고효율기자재(제65534호) : 20220216~20250215
  - 고효율기자재(제65535호) : 20220216~20250215

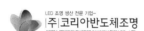

LED 조명 생산 전문 기업–
|주|코리아반도체조명
KOREA SEMICONDUCTOR ILLUMINATION CO., LTD.

25) 퀀텀닷이 적용된 LED 조명기구

- 회사명: 주식회사소룩스
- 지정번호: 2022250
- 물품분류명: 다운라이트설비

‣ 규격모델
  - SDL01506KS6-4085 등 6종

‣ 인증내역
  - NEP(NEP-MOTIE-2022-149) : 20220506~20250505
  - 고효율기자재(제63835호) : 20211210~20241209
  - 고효율기자재(제70068호) : 20220727~20250726
  - 고효율기자재(제69996호) : 20220727~20250726
  - 고효율기자재(제69993호) : 20220727~20250726
  - 고효율기자재(제70013호) : 20220728~20250727
  - 고효율기자재(제69995호) : 20220727~20250726
  - 고효율기자재(제70064호) : 20220727~20250726
  - 고효율기자재(제70069호) : 20220727~20250726
  - 고효율기자재(제70057호) : 20220727~20250726
  - 고효율기자재(제70067호) : 20220727~20250726

  - 자가품질(제2021-63호) : 20220101~20241231
  - 고효율기자재(제70053호) : 20220727~20250726
  - 고효율기자재(제70070호) : 20220727~20250726
  - 고효율기자재(제69994호) : 20220727~20250726
  - 고효율기자재(제70066호) : 20220727~20250726
  - 고효율기자재(제70012호) : 20220728~20250727
  - 고효율기자재(제69997호) : 20220727~20250726
  - 고효율기자재(제70063호) : 20220727~20250726
  - 고효율기자재(제70058호) : 20220727~20250726
  - 고효율기자재(제70065호) : 20220727~20250726
  - 고효율기자재(제70071호) : 20220727~20250726
  - 고효율기자재(제70073호) : 20220727~20250726
  - 고효율기자재(제70072호) : 20220727~20250726
  - 고효율기자재(제70059호) : 20220727~20250726
  - 고효율기자재(제70062호) : 20220727~20250726
  - 고효율기자재(제70061호) : 20220727~20250726
  - 고효율기자재(제70060호) : 20220727~20250726

26) 무정전전원장치

- 회사명: 성신전기공업(주)
- 지정번호: 2022244
- 물품분류명: 무정전전원장치

> ‣ 규격모델
>   - BLUPS-R3600-N 등 552종
> ‣ 인증내역
>   - 특허 실용신안(10-1967734) : 20190404~20320518
>   - 고효율기자재(440) : 20220510~20250509
>   - 고효율기자재(441) : 20220510~20250509
>   - 고효율기자재(442) : 20220510~20250509
>   - 고효율기자재(444) : 20220510~20250509
>   - 고효율기자재(445) : 20220616~20250615
>   - 특허 실용신안(10-2339935) : 20211213~20410803
>   - 성능인증(22ABI0300) : 20220727~20250726
>   - 고효율기자재(434) : 20220428~20250427
>   - 고효율기자재(435) : 20220428~20250427
>   - 고효율기자재(436) : 20220428~20250427
>   - 고효율기자재(437) : 20220428~20250427
>   - 고효율기자재(438) : 20220428~20250427
>   - 고효율기자재(439) : 20220428~20250427

27) 이종겹침기 프로파일 매핑 기법을 활용한 게이트웨이 기반 빌딩에너지통합관리 시스템

- 회사명: (주)헤리트
- 지정번호: 2022241
- 물품분류명: 빌딩자동제어장치

> ‣ 규격모델
>   - H-ZEMS
> ‣ 인증내역
>   - NEP(NEP-MOTIE-2022-158) : 20220506~20250505
>   - GS(210559) : 20211108~20241108
>   - 특허 실용신안(10-2336606) : 20211202~20410526

28) 균등전압 추종을 통한 태양광 발전용 출력향상제어장치가 탑재된 건물일체형 태양광발전 장치

- 회사명: 주식회사 스마트파워
- 지정번호: 2022240
- 물품분류명: 태양광발전장치

‣ 규격모델
- SP-PV-TCS-RS-010 등 43종

‣ 인증내역
- NET(1361) : 20211207~20231206
- 자가품질(2021-42) : 20211001~20231231
- 특허 실용신안(10-2180004) : 20201111~20400617

29) 배전선로 안정화를 위한 저전압 지속발전 및 전기화재 복합진단 태양광 발전 시스템

- 회사명: (주)에너솔라
- 지정번호: 2022239
- 물품분류명: 태양광발전장치

‣ 규격모델
- ES-NRT-100 등 86종

‣ 인증내역
- 특허 실용신안(10-2159959) : 20200921~20400414
- 특허 실용신안(10-1875723) : 20180702~20380110
- 성능인증(21-ABJ0560) : 20211208~20241207

30) 제로릴레이 및 보호제어기술이 탑재된 안전배전반

- 회사명: 주식회사 스마트파워
- 지정번호: 2022235
- 물품분류명: 분전반

‣ 규격모델
- SP-ZR-M204-S-20-S 등 161종

‣ 인증내역
- NET(제1276호) : 20201216~20221215
- K마크(제PC12022-269호) : 20221021~20240527
- 특허 실용신안(제10-1692714호) : 20161229~20290828

지정번호	제품명	회사명
2017109	초음파, 자외선 기반의 아크 및 코로나 방전 감시 진단 시스템을 갖춘 고압배전반 등	(주)원방엔지니어링
2017120	오작동 방지 누전차단기	제닉스원주식회사
2017121	원격제어형 수처리 감시제어시스템	주식회사 대은계전
2017122	방열기능 개선 LED 등기구	(주)코리아반도체조명
2017123	디젤발전기	에너젠 주식회사
2017116	자가 통합 방재시스템을 구성하여 효율성과 안전성을 갖춘 태양광발전장치	주식회사 풍성인더스
2017115	고조파 감소로 전력품질을 향상시킨 내진형 수배전반	주식회사일렉콤
2017119	플리커 저감기술이 적용된 LED 조명기구	주식회사 유환
2017118	태양광발전장치	주식회사 스마트파워
2017112	차량번호 인식 및 주행속도 검출기술을 이용한 다차로 통합제어장치	주식회사 토페스
2017114	응력감소 구조의 매립형 항공등화	유양산전(주)
2017113	빌딩자동제어시스템	주식회사 신영정보기술
2017111	무정전전원장치	주식회사 이온
2017108	싸이클론 집진 및 이중필터 기능의 저매연 발전기	주식회사 라온테크
2017169	1+1 회로방식의 전원공급부를 포함하는 장수명 조명장치	에코디바이스코리아 주식회사
2017175	전원 보상 장치가 적용된 통합감시제어시스템	주식회사 주왕산업
2017172	태양광LED도로표지병	주식회사 지앤아이테크
2017173	디젤발전기	(주)코스탈파워
2017174	보행자안전시스템	주식회사한백시스템
2017241	IoT 기반의 열화감지 진단기능과 퍼지엔진으로 자동역률 조정기능을 구비한 내진형 수배전반	(주)한국이알이시
2017164	지진 비상관제 시스템 제어기능이 내장된 안전배전반	주식회사 케이엔
2017166	고압배전반, 저압배전반, 전동기제어반, 분전반	주식회사 에스지케이
2017195	3차원 히트파이프와 적층 3D 방열핀 기술을 적용한 고출력 LED 투광등	주식회사 매그나텍
2017210	태양광발전장치	주식회사 비앤엠
2017211	음파진동 엑추에이터가 구비된 음파수직 운동기구	주식회사 소닉월드
2017203	내진 수배전반	주식회사 광명전기
2017194	방열기능을 갖는 LED등기구	(주)한국엘이디
2017200	발광다이오드의 자체 상태를 진단 및 제어하는 LED조명	(주)라눅스
2017191	비타민 전구	한국조명 주식회사
2017204	광통신 방식의 온도측정 및 인체근접형 음성경보장치를 구비한 내진형 수배전반	주식회사 일산이엔지
2017193	마그네슘 방열부를 갖는 LED등기구	주식회사 비츠로
2017208	스마트 맵핑과 자가제어 무선 통신 네트워크 기반의 빌딩자동제어 시스템	주식회사 나라컨트롤
2017201	LED조명(다운라이트, 실내조명, 가로등, 보안등, 투광등, 터널등)	주식회사 엘파워
2017205	중심와이어를 구비한 전방위완충장치와 변위영상시스템이 적용된 내진배전반	유한회사 다온시스
2017207	열기배출촉진 및 내진형 배전반	주식회사 일신전기
2017202	영구자석 이중여자제어 동기발전기	(주)썬테크
2017213	가스중간밸브 자동잠금장치	(주)세이프퀴슬
2017197	LED등기구	주식회사 비젼테크
2017206	온도, 진동 등 이상상태 감지기능을 구비한 스마트형 내진형 수배전반	(주)서호산전

지정번호	제품명	회사명
2018037	독립된 상태감지 및 조정이 가능한 멀티영상 LED 전광판	도가테크
2018033	LED 조명	주식회사 오상엠엔이티
2018039	태양광발전장치	이앤에이치 주식회사
2018042	광대역 및 저전력 신호탐지가 가능한 도청탐지장치	(주)지슨
2018041	무정전전원장치	국제통신공업 주식회사
2018112	차단기 신호 다차원 파형분석의 진단 기능을 구비한 수배전반	유호전기공업(주)
2018040	설비의 전력에너지 절감기술을 적용한 원격(원방)감시제어시스템	한국디지탈콘트롤 주식회사
2018090	AC직결형 LED등기구	엘이디라이팅주식회사
2018108	방재기능을 갖춘 내진 태양광 발전시스템	주식회사 유환
2018107	태양광발전시스템	(주)다쓰테크
2018102	내진 및 방진기능을 갖는 수배전반	주식회사 금성시스템
2018101	USB 기반 펌웨어 업데이트 시스템이 적용된 LED 전광판	주식회사 컴텔싸인
2018110	에너지저장장치	(주)케이디파워
2018105	레버형 부스바 접속키트를 이용하여 개보수가 용이한 적층형 분전반	(주)디투엔지니어링
2018094	질화붕소 방열도료를 코팅한 엘이디조명	레이져라이팅 주식회사
2018104	배전반(고압배전반, 저압배전반, 전동기제어반, 분전반)	아이에스산전 주식회사
2018099	LED 조명	주식회사 일광조명
2018111	해상용 등명기	뉴마린엔지니어링 주식회사
2018096	방열기능을 갖는 LED투광등기구	(주)한국엘이디
2018098	LED실외조명	주식회사소룩스
2018095	LED보안등기구, LED가로등기구	인스앤코 주식회사
2018109	무정전전원장치	주식회사 서울전원시스템
2018097	LED 등기구	이피코리아(주)
2018179	LED조명	주식회사 오상엠엔이티
2018175	LED투광등기구 스포츠조명	주식회사 화신코리아
2018184	탄소나노 융합소재 인쇄회로기판을 이용하여, 방열성능 및 광성능이 향상된 LED 등기구	에이펙스인텍 (주)
2018186	수질계측기	블루센 주식회사
2018177	열전도성 복합재료를 활용한 LED 실내등기구	주식회사 블루싸이언스
2018187	TNC 공통접지를 이용한 낙뢰방호장치	(주)그라운드
2018173	날씨 및 실시간 낙뢰 정보 기반의 원격감시시스템(계장제어장치)	한국유체기술(주)
2018182	온도 센서를 이용한 전력제어 및 통신 기능이 적용된 LED조명기기	주식회사 파인테크닉스
2018166	고압배전반/저압배전반/전동기제어반/분전반	주식회사 동지하이텍
2018167	먼지기능을 갖는 내진배전반(고압배전반,저압배전반,전동기제어반,분전반)	(주)삼성파워텍
2018174	원격 리셋, 원격 진단, 원격 백업이 가능한 원격 감시제어 장치	(주)씨노텍
2018172	유지관리(시설 및 에너지)형 빌딩자동제어시스템	바스코리아 주식회사
2018168	내진형 몰드변압기	(주)케이피 일렉트릭
2018185	지능형 스마트 횡단보도 보행안전 시스템	주식회사 패스넷

지정번호	제품명	회사명
2018171	DDC에 BEMS기능이 포함된 통합빌딩자동제어시스템	한경기전(주)
2018178	LED실내조명	(주)이노웍스
2018170	태양광 모듈의 고장예측 모니터링 기능을 구비한 태양광발전시스템	(주)세명이앤씨
2018176	다컬러빈 LED실내조명	주식회사소룩스
2018183	블루라이트 차단효과가 뛰어난 LED 등기구	주식회사 동양전기산업
2018201	특화된 인쇄회로기판 방열기술을 가진 LED조명등	(주)금경라이팅
2018200	정전력 컨버터가 적용된 LED 실내조명등(LED 다운라이트)	주식회사 씨피엔텍
2018198	고효율LED조명등	(주)라눅스
2018195	표면을 개질한 탄소나노튜브를 이용한 방열 및 친환경 LED등기구	주식회사 나로텍 (NAROTEK.Inc)
2018202	모듈 확장형 조립 부스바를 이용한 전력제어 시스템이 적용된 배전기기	주식회사 비엠티
2018212	무정전전원장치	(주)크로마아이티
2018207	스마트 원방감시제어장치	(주)대청시스템스
2018194	강화수지재 및 자연대류를 이용한 LED조명등기구	(주)포메링
2018205	배전반(고압배전반, 저압배전반, 전동기제어반, 분전반)	주식회사 세풍전기
2018196	탄소계 방열 인쇄회로기판을 적용한 방열구조를 갖는 LED 조명	(주)네오스라이트
2018211	인공지능형 절전제어 콘센트	주식회사 웰바스
2018209	전기자동차충전기	대영채비 주식회사
2018203	적외선 검출에 의한 아크감시진단기능을 갖는 내진형 배전반(고압배전반,저압배전반,전동기제어반,분전반)	동일산전(주)
2018208	냉난방 부하예측 빌딩자동제어시스템	성한 주식회사
2018191	안정화전원회로를 포함한 장수명 LED가로등기구	미래씨앤엘 주식회사
2018193	방열기능이 우수한 LED투광등기구	(주)코리아반도체조명
2018213	음수기	(주)케이에스피
2018188	열확산 방열시트가 적용된 LED등기구	주식회사 대운엘앤씨
2018204	부하 보호기능 배전반(고압.저압배전반)	주식회사 베스텍
2018206	2 LEAF SPRING 체결방식을 적용한 부스덕트 시스템 (밀착형 : 600V이하, 알루미늄 (AL)형)	주식회사신화기전
2019010	에너지저장장치	이앤에이치 주식회사
2019001	고출력 LED 조명장치	주식회사 마루라이팅
2019013	다중 ISM밴드 기반의 무선원격검침시스템	주식회사 유비콤
2019018	방사선작업종사자 피폭선량관리를 위한 법정선량계(TLD) 보관관리시스템	(주)유투엔지
2019007	LED 컨버터 LC 피드백 안정화 회로를 이용한 LED 등기구	주식회사 미강조명
2019004	고효율LED조명등	(주)라눅스
2019011	화재 확산 방지용 무정전 접속반을 구비한 내진형 태양광발전장치	주식회사 해전쏠라
2019002	LED실내조명등 및 LED다운라이트	주식회사 포스라이팅
2019005	LED등기구장치	(주)썬래이
2019012	IOT기반 역전송 전력 조절 기능으로 발전효율성을 높인 태양광발전장치	(주)한국스카다
2019086	전방위 카메라와 블루투스 네트워크 기반형 주차안내 및 스마트 조명 시스템	주식회사 루테크
2019017	KBEMS(케이벰스)	주식회사 제이와이아이엔씨

지정번호	제품명	회사명
2019003	안정화 전원회로를 포함한 장수명 LED등기구	미래씨앤엘 주식회사
2019015	BEMS 기능이 임베디드된 빌딩자동제어시스템	(주)우리젠
2019009	무정전전원장치	성신전기공업(주)
2019006	1+1 회로방식의 전원공급부를 포함하는 장수명 조명장치	에코디바이스코리아 주식회사
2019016	수처리용 SCADA 계장 계측제어 장치	동영테크원 주식회사
2019014	지능형 이상 징후 예찰 시스템을 내장한 빌딩자동제어 시스템	베스트 주식회사
2019085	계측제어시스템(계장제어장치)	주식회사동국일렉콘스
2019084	태양광발전시스템	주식회사 디엠티
2019067	인쇄회로기판에 히트싱크방열 구조가 적용된 실내용 LED등기구	네오마루(주)
2019068	인쇄회로기판에 히트싱크방열 구조가 적용된 LED다운라이트	네오마루(주)
2019072	LED 등의 광성능및신뢰성이향상되고, 등주의강도와연성및태양광 패널의효율이 향상된 고효율 태양광 가로등	에이펙스인텍 (주)
2019066	방열기능을 갖는 LED등기구	주식회사 케이지테크
2019082	태양광발전장치	(주)가람이앤씨
2019073	습도센서 및 디밍센서가 적용된 발광형표지판	투인산업 주식회사
2019081	자율제어(AI)를 이용하여 데이터 획득 최적화를 구현하는 빌딩자동제어시스템	주식회사 피디원
2019078	영상처리 기반의 안전장치와 하중분포분석 기술이 적용된 내진형 배전반	주식회사 와이제이솔루션
2019075	고압배전반, 저압배전반, 전동기제어반, 분전반	(주)신한중전기
2019065	복합나노필러를 이용한 LED투광등기구	주식회사 성진하이텍
2019070	LED다운라이트	더좋은생활 주식회사
2019083	접속불량, 탄화, 아크, 단선, 결상, 오결선 탐지제어배전반(고압반, 저압반, 전동기제어반, 분전반)	주식회사 아이티이
2019071	방열기능이 향상된 LED 실내조명등	(주) 젬
2019079	PCC에 의한 실시간 고조파제어 기능을 가진 면진형배전반	골드텍주식회사
2019069	표면을 개질한 탄소나노튜브를 이용한 LED등기구	주식회사 나로텍 (NAROTEK.Inc)
2019077	FBG 온도센서 기술을 활용한 스마트 열화 진단 기능의 내진형 수배전반	(주)일산전기
2019074	인근지역 태양광 발전효율을 상호 비교하여 고장예측을 하는 태양광발전장치	주식회사일렉콤
2019076	고조파 감소를 통해 전력절감효과를 갖는 내진형 수배전반	(주)디투엔지니어링
2019080	원적외선 방사 천장형 복사 난방 패널	(주)썬레이텍
2019159	LED가로등, 보안등기구	서광조명
2019165	직접디지털제어기에서 분산제어관리가 가능한 빌딩자동제어시스템	유비스 주식회사
2019170	사고데이터 분석 및 고장감시진단장치를 내장한 3축 내진 수배전반(고압반,저압반,전동기제어반,분전반)	(주)동보파워텍
2019169	태양광발전장치	주식회사 원광에스앤티
2019163	외함1점 접지 모선보호 및 내진서포트를 적용한 내진배전반(고압반/저압반/전동기제어반/분전반)	세종전기공업(주)
2019158	정전력형 기능을 갖는 실내용 LED등기구	미래씨앤엘 주식회사
2019162	원격제어 가능한 인입인출형 고체절연 배전반	인텍전기전자 주식회사

지정번호	제품명	회사명
2019164	- 태양광 어레이의 원격 감시기능을 구비한 태양광발전시스템	(주)디투엔지니어링
2019168	건물 에너지 관리용 빌딩자동제어시스템	이에스콘트롤스 (주)
2019161	제설기능이 있는 LED교통신호등	충청정보통신 주식회사
2019167	실내 오염 환경 관리 및 IoT확장제어가 가능한 빌딩자동제어 시스템	덕산메카시스(주)
2019166	온도,압력,유량계가 통합내장된 냉,난방용 밸브를 적용한 빌딩자동제어시스템	주식회사 코젠
2019212	전광판(2-Way 방식의 통합형 절전 영상디스플레이)	주식회사 케이엘디
2019218	광효율 및 방열 성능이 우수한 원가절감형 LED 실내조명	주식회사 솔라루체
2019211	온도센서를 이용한 전력제어 및 통신 기능기 적용된 LED 조명	주식회사 파인테크닉스
2019217	고장예지 및 유실데이터 복구기술을 지원하는 원방감시제어시스템	주식회사 싸이몬
2019213	휴대용탐조등	일진하이테크
2019215	동하절기 전환용 냉조절기에 의한 순간 냉각기를 구비한 전기 냉온수기(온수제조기)	(주)케이에스피
2019207	인쇄회로기판에 히트싱크 방열 구조가 적용된 실외용LED등기구	네오마루(주)
2019210	실내용LED조명등기구	주식회사 선일일렉콤
2019206	중공통기 방열강화형 LED램프	아이스파이프 주식회사
2019214	디젤발전기	주식회사 이스트파워
2019216	다중회귀분석과 제어지능 알고리즘을 적용한 공조기 필터 최적 교체시기제시 기반의 자동제어장치	(주)파노텍
2019208	LED가로등기구, LED보안등기구, LED터널등기구, LED투광등기구, LED실내조명등, LED다운라이트	주식회사 봉화조명정보기술
2019248	플리커 저감기술이 적용된 슬림형 LED등기구	루미컴 주식회사
2020014	LED 투명 유리 미디어 장치	글람 주식회사
2019252	유압식 수문을 이용한 하수관거 제어장치	주식회사 한국융합아이티
2019250	천연흑연 방열 복합재료를 적용한 LED 등기구	한라IMS (주)
2019249	방열기능을 갖는 LED등기구	주식회사 케이지테크
2020004	목적부 조명방식과 내부반사구조를 이용하여 시인성과 광효율이 향상된 최적전력 LED 조명식 표지판	주식회사 세한이노테크
2020003	광효율 및 방열 성능이 우수한 원가절감형 LED 실외조명	주식회사 솔라루체
2020013	LED가로등기구 및 보안등기구	주식회사 세광산업조명
2020009	고압배전반, 저압배전반, 전동기제어반, 분전반	주식회사 서전기전
2020012	스마트폰 화면잠금 기능을 갖는 보행신호 음성안내 보조장치	주식회사 패스넷
2020010	에너지저장장치	지투파워 주식회사
2020008	발전량 추세분석 고장진단 및 전력보상 기능을 갖춘 태양광발전시스템	주식회사 이투지
2020007	화재예방 및 차단기능을 활용한 지능형 태양광발전시스템	이에스테크주식회사
2020011	PWM대칭 신호 및 이분법적 구동 방식을 적용한 LED 전광판	주식회사 더서울테크
2020005	자율제어를 이용한 PLC 네트워크 기반의 계장제어장치	주식회사 피디원
2020006	건물군 에너지 수요관리 기능을 구비한 자동제어장치	미래전기(주)

지정번호	제품명	회사명
2020057	사고확산 방지기능 배전반(전동기제어반, 분전반)	주식회사 베스텍
2020056	전자반발력커넥터와아크절연모듈을적용한전동기제어반	(주)은성엔지니어링
2020061	열전도성이 우수한 탄소계 방열플레이트 인쇄회로기판을 적용한 LED 조명	주식회사 여명라이팅
2020059	실 및 부하별 에너지 통합관리 시스템	화인시스템(주)
2020050	멀티비전용 엘이디표시장치	주식회사 베이직테크
2020053	핫스팟, 테더링 기능을 이용한 수처리 현장제어 시스템	상림이엔지(주)
2020051	실시간 고장 알림 기능으로 발전효율을 향상시킨 태양광발전장치	한양전공 주식회사
2020054	탄소나노 융합소재 인쇄회로기판을 이용하여, 방열성능 및 광성능이 향상된 LED 등기구	에이펙스인텍 (주)
2020058	지능형 IoT 보안기술 스마트 내진형 수배전반,계장제어장치	(주)조양
2020052	PLC통신장치기술이 적용된 계장(계측)제어시스템	주식회사 나산전기산업
2020055	인상흑연형 코팅 방열판 적용으로 열 방출이 우수한 LED 조명등기구	주식회사 에스씨엘
2020110	아크 감시 장치가 내장된 내진형 수배전반	탑정보통신 주식회사
2020107	탄성지지대를 이용한 방열구조가 적용된 슬림형 LED조명등	주식회사 테크엔
2020101	전방위 인체감지 및 실시간 동기화가 구현된 듀얼제어 빌딩 자동제어시스템	(주)신아시스템
2020099	PVQMax 태양광발전시스템	(주)에코스
2020097	전기화재복합진단시각화및자동소화기능을구비한수배전반(고압배전반,저압배전반,전동기제어반,분전반)	(주)에너솔라
2020108	방열분체도료를 적용한 LED 실외등기구	주식회사 블루싸이언스
2020103	탄소나노 융합소재 인쇄회로기판을 이용하여, 방열성능 및 광성능이 향상된 LED 등기구	에이펙스인텍 (주)
2020155	냉각덕트를 이용하여 변압기 효율을 향상시킨 몰드변압기	산일전기 주식회사
2020102	초 지향성 스피커 및 적외선 센서를 이용한 스마트 보행자 감지기	(주)제이디솔루션
2020106	Airflow Control Cooling 기술의 LED투광등기구	주식회사 디앤지라이텍
2020240	친환경 방열 세라믹이 코팅된 방열판을 갖는 LED등기구	주식회사 매그나텍
2020111	건물에너지 자가진단 기능을 구비한 자동제어시스템	(주)동양이엔씨
2020109	내진형 디젤발전기	(주)지엔씨에너지
2020098	태양광발전시스템	(주)신호엔지니어링
2020112	개스킷 적층구조가 적용된 엣지형 LED실내조명등	주식회사 뭉클
2020104	방열구조체 일체형 PCB가 적용된 LED등기구	제이제이(JJ)라이팅
2020100	공조 제어 및 내진 기능을 갖는 에너지저장시스템	주식회사 이투지
2020239	에너지 예측 진단 빌딩 통합 자동제어시스템	주식회사 주인정보시스템
2020235	LED 공기청정등기구	주식회사 현다이엔지
2020236	내진형 배전반	윈텍스 주식회사
2020238	화재예방 통합감시기능 및 수평, 수직 내진력을 갖는 면진형 수배전반(배전반/전동기제어반/분전반)	(주)현대콘트롤전기
2020223	교통신호제어기	더로드아이앤씨 주식회사
2020225	압력균형과 결로방지 에어벤트가 구비된 LED등기구	주식회사 현다이엔지
2020237	열화상태 진단기능을 구비한 내진형 수배전반	상림이엔지(주)

지정번호	제품명	회사명
2020227	전해조 직접냉각방식 차염발생장치	주식회사 하이클로
2020218	방수 및 지진 감시 진단 기능을 가지는 내진 태양광 발전장치	(주)한국이엔씨
2020243	수배전반	(주)에코스
2020222	다기능 스마트 횡단보도 안전지킴이	주식회사 한국신호
2020219	직류 활선 절연저하 및 스트링별 사고 구간 감시 기능을 구비한 태양광 발전 시스템	(주)케이디파워
2020220	실내공기질 관리형 빌딩자동제어시스템	서전엔지니어링(주)
2020221	LTE라우터가 적용된 수처리 감시 제어장치	(주)효성파워택
2020226	탄소나노 융합소재 인쇄회로기판을 이용하여, 방열성능 및 광성능이 향상된 LED 투광등기구	에이펙스인텍 (주)
2020228	응집제 주입 최적 제어장치	주식회사 모리트
2020233	내진 및 감전예방 장치를 내장한 수배전반	(주)청석엔지니어링
2020224	공기유동틈을 이용한 경량화 및 방열성능개선과 조립분해가 쉬운 LED고출력등기구	주식회사 화신이앤비
2020229	고압반/저압반/전동기제어반/분전반	(주)피닉스
2020234	1,000개 이상 확장 네트워크 LED Smart 조명	주식회사 삼진엘앤디
2020232	화재경보시스템으로 수배전반의 이상상태를 감시하는 내진형 수배전반	신일전기공업 주식회사
2020231	자가발전무선온도 진단장치 및 내진장치가 적용된 수배전반	주식회사 에스지이노베이션
2020230	화재 예방 감지 장치가 장착된 내진형 수배전반	한양전공 주식회사
2021052	효과적인 플리커 저감장치를 포함한 LED조명기구	주식회사 라이트온
2021051	LED조명	주식회사 파인트리코리아
2021005	LED 투명 디스플레이	주식회사 티디엘
2021045	3상 전선로에서의 급변누설 전류를 이용한 인체감전 보호용 내진배전반	사단법인한마음장애인복지회
2021004	LED바닥형보행신호등	성풍솔레드 주식회사
2021040	온도센서를 이용한 전력제어 및 통신 기능이 적용된 LED도로조명	주식회사 파인테크닉스
2021044	이상 검출용 IR데이터 송신센서를 통한 감시제어시스템 및 진동 저감장치가 장착된 내진(면진) 배전반	태일전기주식회사
2021042	LED조명등기구	주식회사 위드플러스
2021053	진동감지 제어기능을 갖는 내진형 수배전반 (고압배전반 / 저압배전반/전동기제어반/분전반)	유영전기
2021036	QR코드 관리 및 결로감지형 태양광발전시스템	주식회사 코텍에너지
2021046	전기안전진단 기능을 적용한 내진배전반	코스모전기 주식회사
2021041	1+1회로방식의 전원공급부를 포함하는 장수명 조명장치	에코디바이스코리아 주식회사
2021037	IoT 조명제어 기술을 이용한 냉난방 자동제어장치	주식회사 엠알바스
2021048	강우 시 인식성능 개선을 통한 위험물 탐지 신뢰성 향상 차량 하부 검색 장치	(주)테크스피어
2021034	확장식 스마트접속반이 구비된 태양광 발전시스템	주식회사 에이비엠
2021039	비타민엔진	한국조명 주식회사
2021043	방진형 조립식 케이블트레이와 연결조립체	아인텍 주식회사
2021035	단선검출기를 포함한 태양광 발전시스템	(주)더블유피
2021049	눈부심 저감형 면발광 바닥신호등	주식회사 경동이앤에스
2021054	전원 일체형 점멸식 엘이디 등명기	주식회사 엠에스엘테크놀로지

지정번호	제품명	회사명
2021122	고전압 스위치용 전원 백업장치가 적용된 수배전반	(주)효성파워택
2021047	LED바닥형 보행신호등	주식회사 에이원트래픽알앤디
2021038	지능형 광섬유 온도 측정 장치	아이엠 주식회사
2021050	회로 패턴 개선을 통한 저저항성 및 투과성 향상 부착형 투명 LED 필름	(주) EV첨단소재
2021119	수질분석기	대윤계기산업(주)
2021121	열전도성이 우수한 탄소계 방열플레이트 인쇄회로기판을 적용한 LED 조명	주식회사 여명라이팅
2021120	외벽부착형 초음파 슬러지 농도계	웨스글로벌 주식회사
2021118	고분자 전해질 연료전지시스템	주식회사 코텍에너지
2021173	알루미늄니트라이드 코팅 증착 기술로 열전도성의 방열성능을 향상시킨 LED등기구	주식회사 케이씨환경디자인
2021183	저소음 풍력발전기를 사용한 재난알림 장치기능이 포함된 자가발전식 친환경 하이브리드 가로등	주식회사 미래테크
2021178	유독 물질 저감형 몰드변압기	제룡전기(주)
2021172	이산화탄소 냉각모듈이 적용된 LED조명	(주)하나룩스
2021182	에코전기온돌 EMF	주식회사 삼명테크
2021177	냉각성능을 향상시킨 내진형 몰드변압기	산일전기 주식회사
2021176	내진배전반(고압반/저압반)	주식회사 이에스아이
2021174	화소 삽입의 적응적 영상보간 기술을 이용한 고해상도 LED전광판	(주)오라시스템
2021180	강화된 모니터링 기능을 갖는 태양광발전시스템	주식회사 동천기공
2021179	순환전력 제어기능을 갖는 고효율 무정전전원공급장치	(주) 테스
2021181	비상전원 기능을 갖는 하이브리드 에너지저장시스템	국제통신공업 주식회사
2021175	DVI 신호보정 영상데이터를 적용한 개별 LED 보정이 가능한 LED 전광판	삼익전자공업(주)
2021240	일체형 보행신호 음성안내 보조장치	주식회사 삼성티엔지
2021236	복합 방열 시스템을 적용한 빛공해 저감형 비대칭 LED투광등기구	주식회사 매그나텍
2021233	효과적인 플리커 저감장치를 포함한 LED조명기구	주식회사 라이트온
2021228	인공지능 발전향상 장치와 지능형모니터링 태양광발전시스템	주식회사 나눔에너지
2021235	태양광발전시스템	(주)세광플러스
2021242	방열, 방습, 방수의 성능이 우수한 LED 실외 조명등기구	에이컴(주)
2021231	하이브리드 전류 평형 고효율 LED 조명등	주식회사 희성
2021229	내진(면진) 및 통합 관리 시스템 수배전반	한국산전(주)
2021234	균등밝기 구현을 위한 AC직결형 전류미러링 구조의 다채널 제어방식 LED조명등기구	엘이디라이팅주식회사
2021230	전도방지 스토퍼와 회전 플레이트형 진동감쇄부를 적용한 내진형 몰드 변압기	삼일변압기(주)
2021232	출력고정기술로 전해캐패시터를 사용하지 않는 예측수명이 증대된 LED조명	주식회사 엘파워
2022068	분진프리 LED 실외 조명등	주식회사 천일
2022066	Neo MPPT 알고리즘과 발전전력 예측, 감시, 제어 기능을 구비한 지능형 태양광발전장치	에이펙스인텍 (주)
2022065	역전류 다이오드의 고장검출 기술로 차량손상 및 화재방지와 상회전방향에 무관한 전기차충전기	이브이시스(주)
2022060	아크감시 장치가 내장된 내진형 원격감시제어시스템	탑정보통신 주식회사
2022057	대기전력 저감을 위한 하이브리드 온도제어형	보국전기공업(주)

지정번호	제품명	회사명
	디젤발전기	
2022064	진동세관형 히트싱크 가압결합 기술을 적용한 LED투광등	아이스파이프 주식회사
2022059	전해수 순환식 차아염소산나트륨 발생장치	주식회사 제이텍워터
2022061	전원공급 중단을 방지하고 전기고장 탐지 및 예측이 가능한 자동제어시스템	로지시스템(주)
2022062	균등전압 추종형 스트링옵티마가 탑재된 태양광발전장치	주식회사 스마트파워
2022067	도서선반 이중화로 시간단축 및 장애제거 누름장치가 적용된 스마트도서관	주식회사 나이콤
2022058	ICT융합형 상수도 수질조정 자동드레인장치	블루센 주식회사
2022069	빛 공해 방지용 옥외 조명모듈이 적용된 LED등기구	주식회사 대운엘앤씨
2022063	인터랙티브화이트보드	주식회사 컨버스테크
2022191	외부 설치가 가능한 특징을 가진 필름형 투명 LED 디스플레이	주식회사 에이피에스 (APS Inc.)
2022117	건전성 판단장치를 가지는 내진 수배전반(고압배전반, 저압배전반, 전동기제어반, 분전반)	주식회사 세강엔지니어링
2022125	화재징후조치 및 자동소화장치를 적용한 수배전반	상원엔지니어링주식회사
2022126	2kW 고체산화물 연료전지(SOFC)시스템	주식회사 미코파워
2022124	일체형 허브보드가 적용된 LED전광판	주식회사 케이시스
2022190	제로릴레이 및 보호제어기술이 탑재된 안전배전반	주식회사 스마트파워
2022123	결로방지 기능과 정밀한 각도조절이 가능한 LED투광등	주식회사 진우엘텍
2022120	탄소섬유 하우징이 적용된 LED가로등	루미컴 주식회사
2022116	방압, 방폭 및 내진 기능을 갖는 수배전반	주식회사 리폼테크
2022122	LUT를 활용한 화소제어 및 소비전력절감 LED전광판	포스텍네트웍스 주식회사
2022118	순시유도전압센서를 이용한 부분방전 모니터링 감시기능이 탑재된 내진형 배전반	주식회사 티에스일렉트릭
2022115	고장진단 및 예측기술이 탑재된 내진 수배전반	(주)에코파워텍
2022114	안전사고 예방·관리 시스템을 구비한 내진형 스마트 배전반	주식회사 진흥기술
2022119	다중이용시설의 초미세먼지 유입방지 흡입매트	주식회사 테스토닉
2022121	바닥형 보행신호등	주식회사 명신전자
2022187	수배전반	(주) 엔피산업전기
2022188	LED투광등기구	주식회사 파인트리코리아
2022189	엘이디조명기구	라이트팹
2022182	스마트 IoT 전기차 충전 콘센트	주식회사 스타코프
2022186	지능형 열화 진단 기능을 갖는 원방감시제어 장치	(주)케이디티
2022183	LED바닥형보행신호등	주식회사 미래안전
2022185	2중 배광구조를 갖는 모듈화된 에너지 절감형 LED도로조명	주식회사엑스루미 (X LUMI)
2022180	멀티 스트리머 프라즈마 기술을 이용한 공기살균기	주식회사 아하
2022184	매연저감장치 내 바이패스가 탑재된 발전기	주식회사 스마트파워
2022181	컴팩트 컨트롤 박스 및 순간전압강하 보상기능을 적용한 절전형 면진배전반	주식회사 금강콘트롤

[표] 전기·전자 우수제품 지정현황

2. 정보 · 통신

1) 차량번호판의 양각성분을 이용하여 위조번호판 판별이 가능한 주차관제시스템
- 회사명: 이노뎁(주)
- 지정번호: 2023017
- 물품분류명: 주차관제장치

‣ 규격모델
- INN-FND-01 외 5종

‣ 인증내역
- 특허 실용신안(제10-2355402호) : 20220120~20410601
- K마크(PC12022-248) : 20221017~20250518
- 자가품질(제2022-69호) : 20230101~20251231

2) 광대역 고해상도 방송시스템
- 회사명: 주식회사 디라직
- 지정번호: 2023019
- 물품분류명: 구내방송장치

‣ 규격모델
- DPA-DP-1000등 320모델

‣ 인증내역
- 특허 실용신안(제10-1655769호) : 20160902~20360218
- 특허 실용신안(제102293598호) : 20210819~20410415
- 특허 실용신안(제102472456호) : 20221125~20420425
- 자가품질(제2021-13호) : 20210701~20240630
- K마크(PC12022-293) : 20221213~20250726
- NET(제1360호) : 20211207~20231206

3) 초고속 고해상도 딥러닝 솔루션(프리벡스 v3.0)

- 회사명: 주식회사 핀텔
- 지정번호: 2023016
- 물품분류명: 영상감시장치

- ‣ 규격모델
  - PRE-SVP-P002 등 66종
- ‣ 인증내역
  - NET(제1334호) : 20210929~20230928
  - K마크(PC12022-258) : 20221020~20240403
  - K마크(PC12022-259) : 20221020~20240403
  - K마크(PC12022-260) : 20221020~20240403
  - K마크(PC12022-261) : 20221020~20240403
  - K마크(PC12022-262) : 20221020~20240403
  - GS(22-0272) : 20220602~20281231
  - GS(22-0453) : 20221006~20281231
  - 특허 실용신안(제10-2132335호) : 20200703~20380920

4) 실시간 장애관리 디지털방송시스템

- 회사명: (주)매트릭스미디어
- 지정번호: 2023018
- 물품분류명: 구내방송장치

- ‣ 규격모델
  - MTS-AV-001 등 96종
- ‣ 인증내역
  - 특허 실용신안(10-2323882) : 20211103~20410406
  - 특허 실용신안(10-2323890) : 20211103~20410406
  - K마크(PC12022-159) : 20220714~20250713
  - GS(22-0015) : 20220526~20250131

5) 원격제어와 보조통화 기능을 갖는 에너지 절감형 비상벨

- 회사명: 주식회사 에이치케이시스템
- 지정번호: 2023015
- 물품분류명: 경보장치

‣ 규격모델
- HK-EBV5GB 등 2종
‣ 인증내역
- 특허 실용신안(제10-2336259) : 20211202~20410630
- 특허 실용신안(제10-2336263) : 20211202~20410630
- 특허 실용신안(제10-2336267호) : 20211202~20410630
- K마크(PC12022-164) : 20220720~20250713

6) 자가진단 비상벨

- 회사명: 주식회사 디앤샤인
- 지정번호: 2023014
- 물품분류명: 경보장치

‣ 규격모델
- DNS-EB50
‣ 인증내역
- 특허 실용신안(10-2116729) : 20200525~20371122
- K마크(PC12022-172) : 20220725~20250724

7) 인공지능 기반의 미아-치매노인 찾기 솔루션(모바일 앱 서비스 및 CCTV 영상분석)

- 회사명: 주식회사 원모어시큐리티
- 지정번호: 2023012
- 물품분류명: 해석또는과학소프트웨어

‣ 규격모델
- 원모어아이 v1.0
‣ 인증내역
- GS(22-0310) : 20220627~20281231
- (혁신조달과-7685) : 20221230~20281231

8) DID인증기반 모바일신분증 출입 및 블록체인 인프라 시스템

- 회사명: 주식회사 코인플러그
- 지정번호: 2023013
- 물품분류명: 인증서버소프트웨어

‣ 규격모델
- MetaPass 1종

‣ 인증내역
- (21-0285) : 20210614~20281231
- 특허 실용신안(10-2118921) : 20200529~20381231

9) 이중화 라인감시기능을 적용한 재난방송 시스템

- 회사명: 주식회사 젠프로
- 지정번호: 2022215
- 물품분류명: 구내방송장치

⑾⒤GENPRO

‣ 규격모델
- IK-GR-P002 등 107종

‣ 인증내역
- 특허 실용신안(제10-2004451호) : 20190722~20390322
- 특허 실용신안(제10-2103542) : 20200416~20390801
- 성능인증(22-ABI0319) : 20220801~20250731
- K마크(PC12019-179) : 20190924~20240923

10) 무선통신으로 네트워크와 정보수집에 대한 제어가 가능한 자동원격검침시스템

- 회사명: 프리스타일테크놀로지 유한회사
- 지정번호: 2022218
- 물품분류명: 융복합고정네트워크장비및부품

‣ 규격모델
- FST-AMR

‣ 인증내역
- 특허 실용신안(10-1764748) : 20170728~20300331
- 특허 실용신안(10-1905054) : 20180928~20320625
- 성능인증(21-ACZ0447) : 20210916~20240915
- GS(21-0214) : 20210426~20321231
- K마크(PC12022-239) : 20221013~20251012

11) 출력 변동형 소비전력 개선 방송시스템
- 회사명: (주)데스코
- 지정번호: 2022216
- 물품분류명: 구내방송장치

‣ 규격모델
  • DBS-PA-001 등 117종
‣ 인증내역
  • K마크(PC12022-178) : 20220725~20240330
  • 특허 실용신안(제10-2027244호) : 20190925~20390508
  • 특허 실용신안(제10-2371669호) : 20220302~20411019
  • 특허 실용신안(제10-2449498호) : 20220927~20420503

12) 전도도센서 모듈 및 이를 구비한 지하수 원격모니터링 시스템
- 회사명: (주)인포월드
- 지정번호: 2022220
- 물품분류명: 레벨센서및트랜스미터

‣ 규격모델
  • uW153 SMT
‣ 인증내역
  • 특허 실용신안(10-1971992) : 20190418~20381030
  • 특허 실용신안(10-2311921) : 20211006~20410421
  • K마크(PC12022-190) : 20220728~20250727
  • GS(22-0177) : 20220411~20281231

13) 화재감지 시스템
- 회사명: 주식회사 전원테크
- 지정번호: 2022217
- 물품분류명: 화재수신기

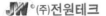

‣ 규격모델
  • FRS-200R-2000외 3종
‣ 인증내역
  • 성능인증(22-AB10257) : 20220530~20250529
  • 특허 실용신안(제2255211호) : 20210517~20400619
  • 특허 실용신안(제1775489호) : 20170831~20360921

14) 교통관제시스템

- 회사명: 주식회사 글로벌브릿지
- 지정번호: 2022212
- 물품분류명: 교통관제시스템

       ‣ 규격모델
- 교통관제시스템(GBAI-ITS)

       ‣ 인증내역
- GS(21-0348) : 20210712~20281231
- 특허 실용신안(10-2189262) : 20201203~20400429
- 성능인증(22-AND0023) : 20220121~20250120

15) 소비전력 제어기술이 적용된 에너지 절감형 방송 장치 및 비상 상황 발생 시 대피 장소에 적합한 다원화 음원 송출 전관 방송

- 회사명: 주식회사 엘앤비기술
- 지정번호: 2022214
- 물품분류명: 구내방송장치

       ‣ 규격모델
- LB-P01등 382종

       ‣ 인증내역
- 특허 실용신안(제10-2049464호) : 20191121~20390404
- 특허 실용신안(제10-2058862호) : 20191218~20390404
- K마크(PC12022-090) : 20220425~20250424
- K마크(PC12022-091) : 20220425~20250424
- GS(21-0307) : 20210624~20281231

16) 멀티모달기반 지능형 스마트 방범시스템

- 회사명: 주식회사 시큐인포
- 지정번호: 2022207
- 물품분류명: 영상감시장치

‣ 규격모델
  - Sentry NVR-002 등 16종
‣ 인증내역
  - 특허 실용신안(10-2265269) : 20210609~20390709
  - (22-1-0155) : 20190228~20230227
  - (22-1-0167) : 20220503~20250502
  - 특허 실용신안(10-2017329) : 20190827~20380620
  - 특허 실용신안(10-2169682) : 20201019~20381122
  - 특허 실용신안(10-2163427) : 20200929~20380620
  - GS(12-0040) : 20120305~20281231
  - GS(20-0600) : 20201217~20281231
  - GS(20-0601) : 20201217~20281231
  - K마크(PC12022-188) : 20220727~20250726
  - 성능인증(22-ANI0306) : 20220728~20250727

17) 입력 우선순위에 의한 자동제어 방송시스템

- 회사명: 주식회사 대경바스컴
- 지정번호: 2022213
- 물품분류명: 구내방송장치

‣ 규격모델
  - ABS2020-01 등 24종
‣ 인증내역
  - 특허 실용신안(10-2007489) : 20190730~20380628
  - K마크(PC12020-050) : 20200406~20230404
  - GS(22-0186) : 20220418~20321018

18) 클립이폼 v5.0

- 회사명: (주)클립소프트
- 지정번호: 2022206
- 물품분류명: 웹페이지작성및편집소프트웨어

‣ 규격모델
  - 클립이폼 v5.0_2Core 등 2종
‣ 인증내역
  - (190462) : 20201028~20321231

19) DD모터 카메라가 적용된 영상감시장치

- 회사명: 주식회사 한국아이티에스
- 지정번호: 2022208
- 물품분류명: 영상감시장치

‣ 규격모델
  - IST-SET0001 외 16종
‣ 인증내역
  - K마크(PC12022-250) : 20221018~20251017
  - 특허 실용신안(10-2215806) : 20210208~20400424

20) 지능형 자동조절알고리즘 기술이 적용된 영상분석장비들로부터 듀얼영상 전송에 의한 통합주차관제시스템

- 회사명: 아이티에스엔지니어링 주식회사
- 지정번호: 2022210
- 물품분류명: 주차관제장치

‣ 규격모델
  - ITS-ISHOST-EP 등 5종
‣ 인증내역
  - GS(21-0416) : 20210819~20310817
  - 성능인증(21-ANA0551) : 20211130~20241129
  - 특허 실용신안(제10-1688695호) : 20161215~20341121
  - 특허 실용신안(제10-2180916호) : 20201113~20400330
  - 특허 실용신안(제10-2329137호) : 20211116~20400513

21) 사고음향자동검지시스템

- 회사명: (주)에이엔제이솔루션
- 지정번호: 2022219
- 물품분류명: 융복합지시및기록용기기

‣ 규격모델
- ASC-100K

‣ 인증내역
- NET(제52호) : 20210514~20290513
- 특허 실용신안(제10-2382215호) : 20220330~20401020
- (제2020-138호) : 20210422~20240421

22) 전자식 진동 기반의 자가세정 기술 적용 영상감시장치

- 회사명: 주식회사 마이크로시스템
- 지정번호: 2022209
- 물품분류명: 영상감시장치

‣ 규격모델
- MS-S-1002 등 2종

‣ 인증내역
- NEP(NEP-MOTIE-2022-163) : 20220922~20250921

23) 딥러닝 기반 이륜차 법규위반 단속을 위한 다차선 무인교통감시장치

- 회사명: 주식회사 토페스
- 지정번호: 2022211
- 물품분류명: 무인교통감시장치

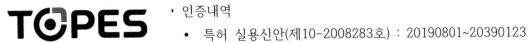

‣ 규격모델
- TOPCAM2100-3LRES 등 9종

‣ 인증내역
- 특허 실용신안(제10-2008283호) : 20190801~20390123
- 자가품질(제2021-81호) : 20220101~20241231
- 특허 실용신안(제2407170호) : 20220603~20420107

24) 이벤트 기반 모니터링이 가능한 비상벨 장치를 구비한 영상감시시스템

- 회사명: 주식회사 올인원 코리아(All-In-One Korea Co., Ltd.)
- 지정번호: 2022150
- 물품분류명: 영상감시장치

‣ 규격모델
  • AK-ASVR-003 등 2종
‣ 인증내역
  • (혁신조달운영과-1920) : 20220428~20281231
  • GS(20-0044) : 20200120~20281231
  • K마크(PC12020-213) : 20201023~20250101

25) 영상 암호화 기술 기반의 보안용 다기능 CCTV 관제시스템

- 회사명: 주식회사 포커스에이치엔에스
- 지정번호: 2022151
- 물품분류명: 영상감시장치

FOCUS H&S

‣ 규격모델
  • FHS-EN-001
‣ 인증내역
  • K마크(PC12021-239) : 20211021~20241001
  • GS(21-0644) : 20211223~20321231
  • 특허 실용신안(10-2277014) : 20210707~20410224

26) 동파경고기능과 저전력 장거리 통신망(LPWA) 기반 원격자동검침시스템

- 회사명: 주식회사 엔티모아
- 지정번호: 2022153
- 물품분류명: 원격자동검침시스템

‣ 규격모델
  • NTMA9205-RT 등 2종
‣ 인증내역
  • 특허 실용신안(제10-2308540호) : 20210928~20410224
  • K마크(PC12022-121) : 20220504~20250503
  • GS(22-0010) : 20220503~20281231

27) 프로그램개발용 소프트웨어

- 회사명: 주식회사 에이프리카
- 지정번호: 2022149
- 물품분류명: 프로그램개발용소프트웨어

‣ 규격모델
- CHEETAH MPS 2

‣ 인증내역
- (20-0070) : 20200210~20281231
- 특허 실용신안(제10-2100323호) : 20200407~20391101

28) 티지브이포털v2.0

- 회사명: (주)타임게이트
- 지정번호: 2022144
- 물품분류명: 파일시스템소프트웨어

‣ 규격모델
- TGVportal v2.0

‣ 인증내역
- (21-0370) : 20210719~20281231

29) 초고해상도 영상 화면의 다중 표출 확장을 위한 비디오 동기화 기술이 적용된 영상감시장치

- 회사명: 주식회사 제노시스
- 지정번호: 2022154
- 물품분류명: 영상감시장치

‣ 규격모델
- ZMDR-CS001

‣ 인증내역
- NEP(NEP-MOTIE-2020-087) : 20210702~20231215
- 특허 실용신안(제 10-1869452호) : 20180614~20371013
- 특허 실용신안(제10-1869453 호) : 20180614~20371013
- 특허 실용신안(제10-1882016 호) : 20180719~20371013
- K마크(PC12022-014) : 20220120~20250119

30) 넷퍼넬

- 회사명: 주식회사 에스티씨랩
- 지정번호: 2022145
- 물품분류명: 통신서버소프트웨어

‣ 규격모델
- NetFUNNEL v3.0

‣ 인증내역
- (20-0618) : 20201224~20281231

지정번호	제품명	회사명
2017092	디지털전관방송 및 영상방송시스템, AV방송시스템	주식회사 엘앤비기술
2017093	디지털,아날로그 하이브리드 믹서 기능을 겸비한 전관/AV 방송시스템	주식회사 썬더테크놀로지
2017094	이미지 변환 기술을 적용한 차량번호인식시스템	주식회사 한국알파시스템
2017095	전광판	주식회사 싸인텔레콤
2017155	파노라마 영상기반에서 추출된 색상온도 및 패턴값을 비교하여 정합 주차행위를 판단하는 주차관제 시스템	이노뎁(주)
2017156	FHD 해상도 기반의 객체 인식형 방법용 CCTV 시스템	주식회사 핀텔
2017158	다방향성 크로스 네크워크 방송시스템	주식회사 대경바스컴
2017160	X-SCADA	주식회사 자이솜
2017157	이상음원 및 폭력상황을 감지하는 영상감시장치	아이브스 주식회사
2017161	통신서버 소프트웨어	라온위즈 주식회사
2017176	통합형 고효율 방송시스템	주식회사 디라직
2017177	다중영상 표출기술을 적용한 하이브리드 월 시스템	(주)리드텍
2018120	지능형 성능관리 기능을 갖는 차량번호 판독시스템	렉스젠 주식회사
2017178	통합입출력방식을 이용한 원클릭 수리시설 원격관리 자동화시스템	주식회사 이엘
2017179	모바일 패스 출입통제시스템	유한회사 시원이엔지
2018013	차량번호 자동인식 시스템	주식회사 송우인포텍
2018016	IP카메라 네트워크 환경에 열 감지 기능을 탑재한 열상카메라 및 이를 이용한 CCTV 시스템	미르텍 주식회사
2018010	입출력 채널 수의 변경이 가능한 하이브리드 오디오믹서	아카데미정보통신주식회사
2018011	실시간 감마보정 기술을 적용한 LED전광판	(주)대한전광
2018008	소프트웨어 기반의 멀티방송시스템	주식회사 소비코프로페셔널
2018009	인공신경망 기반의 디지털방송시스템	주식회사 지브이코리아
2018012	좌우회전 진입차량의 인식률을 향상시킨 주차장 차량번호 인식시스템	주식회사 다래파크텍
2018115	인터랙티브화이트보드(투명 닷패턴 필름 전자칠판)	딥스원테크(주)
2018114	네트워크 밸런싱 통합방송시스템	주식회사 아이엠피
2018116	세듬 오리진 V1.0	주식회사 이누씨
2018117	통신서버 소프트웨어	라온위즈 주식회사
2018118	리포팅 소프트웨어, 전자문서 소프트웨어	주식회사 포시에스
2018119	개인정보종합관리솔루션	주식회사 이지서티

지정번호	제품명	회사명
2018113	화재 및 지진에 대비한 원터치 멀티타입 통합방송 시스템	주식회사 진명아이앤씨
2018133	고해상도 영상을 이용한 화면분할 기반의 복수차량 동시 단속 시스템	(주)테라테코
2018131	장애 상황별 대응이 가능한 무선전환 전관방송시스템	주식회사 올인원 코리아(All-In-One Korea Co., Ltd.)
2018134	음영 적응형 영상분석 기술을 이용한 차량번호인식 시스템	주식회사 엘리소프트
2018132	적응형 가변블록 및 가상프레임 기반 고속 고압축 CCTV 영상감시장치	이노뎁(주)
2018222	대기전력 제어 및 신호레벨 이상 진단형 통합방송시스템	동광전자 주식회사
2019058	다축 SOMPA안테나를 이용한 WiFi Dual AP	주식회사 쏘우웨이브
2019049	AV동기화 통합방송시스템	주식회사 대경바스컴
2019053	조도변화에 적응적인 다채널 불법주정차 단속시스템	주식회사 아프로시스템즈
2019050	긴급상황 도움요청 음향주파수 감시인식기반 카메라 회전 및 스피커 제어 시스템	에코아이넷(주)
2019059	버스정보안내기	주식회사 에스앤티
2019054	음영 적응형 영상분석 기술을 이용한 불법주정차 단속 시스템	주식회사 엘리소프트
2019052	센서연동 및 제어로직 알고리즘을 탑재한 영상감시시스템	주식회사 세일시스템
2019051	실시간 CCTV 자동 안개 검출 및 개선 시스템	주식회사 파로스
2019055	딥러닝을 이용한 다중객체 검출/추적 기반의 스마트 교통관제시스템	렉스젠 주식회사
2019057	와치올 11	(주)와치텍
2019056	바이오인식(지문 및 얼굴)과 RFID 및 모바일 인식 기반의 하이브리드 출입통제시스템	주식회사 슈프리마
2019063	스카이브릿지	주식회사 글로벌브릿지
2019060	인터렉티브화이트보드	주식회사 아하
2019062	네트워크 CCTV 영상보안 및 영상공유 시스템	주식회사 티제이원
2019061	지도소프트웨어	(주)정도유아이티
2019140	크로스토크 개선 기술을 적용한 방송시스템	주식회사 원캐스트
2019136	딥러닝 기반 다목적 객체인식 지능형 CCTV 시스템	쿠도커뮤니케이션(주)
2019137	CCTV 펌웨어 검증유닛을 적용한 영상감시장치	(주)아이엔아이
2019138	메인화면과 관련영상을 동시 제공하여 검색효율을 향상시킨 CCTV시스템	(주)앤다스
2019139	크롭핑기법을 이용한 동적객체 인식영역 재추출 기반의 무인교통감시시스템	주식회사 아프로시스템즈
2019202	초고화질 영상데이터 분산저장 CCTV시스템	주식회사 포딕스시스템
2019203	실시간 CCTV 통신구간 암호화 영상감시장치	주식회사 세오
2019205	엔플로우 에스피에이치 그린 V2	이에이트 주식회사
2019204	교통정보수집장치	주식회사 싸인텔레콤
2019243	개인정보 비식별 조치 솔루션 V3.0(IDENTITY SHIELD V3.0)	주식회사 이지서티
2019241	Docu Check-i V3.0	주식회사 에이씨엔에스
2019247	PVDF 타입의 피에조센서	주식회사 노바코스

지정번호	제품명	회사명
2019245	AVM(Around View Monitoring)과 블랙박스 기능을 통합한 AVM-DVR 시스템	오토아이티 주식회사
2019244	심층 신경망 알고리즘 기반의 스마트 플랫폼 CCTV 시스템	주식회사 두원전자통신
2019246	버스및차량정보 안내전광판	주식회사 싸인텔레콤
2019242	아토액세스	아토리서치 주식회사
2020001	객체정밀 추적형 영상감시시스템	비티에스유한회사
2020002	White LED를 활용한 야간영상 컬러구현 CCTV 카메라	(주)현명
2020095	원격자동검침시스템	주식회사 레오테크
2020077	심리스 비상방송 기술을 적용한 방송시스템	(주)인터엠
2020076	재난경보시스템 연동기술이 적용된 ICT융합형 마을무선방송시스템	(주)넥솔위즈빌
2020079	네트워크 분석관리형 영상감시시스템	주식회사 크리에이티브넷
2020078	다차로환경에서의 영상기반 차량번호 인식기술을 적용한 CCTV 통합감시시스템	주식회사 새움
2020136	음성인식비상벨	주식회사더포스
2020134	크루즈링크 v4.0	(주)디리아
2020157	표준AVB 규격을 적용한 실시간 네트워크 오디오 시스템과 디지털파워앰프 시스템	(주)에이디엠
2020131	IP기반의 CCTV시스템의 영상과 음성데이터의 압축 전송효율과 네트워크 보안성을 강화한 영상감시장치	(주)경림이앤지
2020129	영상검지기반의 레이더를 이용한 무인교통감시시스템	주식회사 알티솔루션
2020135	브이알웨어 스토리메이커(VRWARE StoryMaker)	주식회사 글로브포인트
2020133	네트워크 기반 시설의 통신장애관리와 유지관리시스템	(주)에이디엠
2020130	위조지문 판별 가능한 출입통제시스템	이노뎁(주)
2020132	CNN 특징 맵을 이용하여 일반카메라로 차량번호인식이 가능한 방범감시시스템	주식회사 펜타게이트
2020190	MASQ(Multi-level Abstraction & Synchronization Quest)	주식회사 보아라
2020193	디지털 영상 음향 통합방송시스템	주식회사 케빅
2020186	다중 파형을 이용한 장거리 교통 돌발상황 검지시스템	메타빌드 주식회사
2020192	CLIP report v5.0	(주)클립소프트
2020161	고정형 및 이동형 TVWS 게이트웨이	이노넷 주식회사
2020191	AI 전화상담 서비스	(주)포지큐브
2021025	비상발생시 선로 분리 단절 및 진동감지가 가능한 자동복구형 통합방송시스템	(주)에이엠피
2020187	분산병렬 렌더링 방식 멀티스크린 컴퓨터	주식회사 누리콘
2020188	열화상 이중화 카메라를 이용한 방범 및 재난예측 시스템	주식회사 디지탈라인
2020189	인공지능(AI)과 딥러닝 기반의 교통신호제어기능을 탑재한 영상감시장치	주식회사 동부아이씨티
2021124	인증관리 소프트웨어	라온시큐어 주식회사
2021029	전산화 인지재활 솔루션, 아이어스(EYAS) v1.0	주식회사 인더텍
2021074	CCTV카메라용 오토리프트 장치	주식회사 오티에스
2021033	1대의 카메라로 다차로(3~4차로) 차량번호인식이 가능한 시스템	주식회사 한일에스티엠
2021075	지능형 통합배선반 시스템	주식회사 인포스텍
2021032	리노 월 컨트롤러 시스템	이에스이 주식회사
2021031	스마트 선번관리 및 장애처리 기반의 관리형 통합배선반	국제텔레시스(주)

지정번호	제품명	회사명
2021026	수업진행 모드별로 화면구성을 달리하여 인터넷 방송을 하는 인터랙티브화이트보드	보은전자방송통신(주)
2021028	예측분석 기능을 구비한 딥러닝 기반의 차량단속 시스템	(주)서광시스템
2021030	3D 기반 디지털 안전관리 플랫폼	주식회사 넥스트코어테크놀로지
2021027	경량화 보안방식이 적용된 융복합 출입통제시스템	주식회사 그린아이티코리아
2021097	보안 소프트웨어	지엔소프트(주)
2021101	반사 및 비반사 차량번호 판독기술을 적용한 무인교통단속시스템	진우산전(주)
2021100	엘이디전광판	주식회사 씨디엠비
2021093	동영상 보안 전송기능이 적용 된 영상 감시 시스템	주식회사 명광
2021099	자동차 번호판 식별이 가능한 일체형 방범용 CCTV 시스템	주식회사 그린아이티코리아
2021094	차량번호판독기능이 향상된 무인교통 단속시스템	(주)하나씨엔에스
2021096	All in one 통합메시징시스템	주식회사 나노아이티
2021095	방사능재난대응훈련시스템v1.0	주식회사 아레스
2021098	단방향 연계 보안 소프트웨어	가온플랫폼 주식회사
2021092	빅데이터기반 관제권역환경정보 적응형 영상감시장치	주식회사 지인테크
2021151	클라우드 컴퓨팅 기반 CCTV 영상을 자동으로 차등 분배·저장하는 CCTV시스템	주식회사 다누시스
2021155	교통량측정 및 무인교통단속이 가능한 교통관제시스템	주식회사 유니시큐
2021158	DSP기능의 통합형 PA/SR 구내방송 시스템	주식회사 바이콤
2021153	시정상태의 변화에 강인한 복합필터링 방식의 CCTV시스템	주식회사 에스카
2021147	Guardian-CCS v1.0	주식회사 에프엔에스벨류
2021149	스마트 크롭핑(Cropping) 기술을 이용한 영상감시시스템	주식회사 홍석
2021160	단속성능이 향상된 딥러닝 기반의 주정차 단속시스템(거리,속도)	렉스젠 주식회사
2021152	딥러닝(DCNN)기반의 엣지형 영상분석장치 CCTV 시스템	주식회사 인텔리빅스
2021154	블랙아이스 검출 기술이 적용된 영상감시장치	(주)지성이엔지
2021145	3D 어라운드 뷰 시스템	주식회사 에이스뷰
2021146	SBUx v2.0	주식회사 소프트보울
2021148	CCTV네트워크 및 전원관리 기능이 구비된 스마트POE스위치	(주)유시스
2021150	트리플 센서기술을 이용한 방재 방범 CCTV시스템	주식회사 진명아이앤씨
2021156	팔팔케어	(주)휴먼아이티솔루션
2021238	전자영수증 솔루션	한국전자영수증 주식회사
2021144	신경망을 이용한 차량번호판인식 기술이 적용된 통합주차관제시스템	비젼아이티에스(주)
2022070	층간 통신 기술이 적용된 무선통신보조설비	주식회사 캐스트원
2021159	에지정보기반의 객체추적알고리즘이 적용된 무인교통단속시스템	비젼아이티에스(주)
2021157	에너지 절감 기능이 있는 전자 칠판	주식회사 현대아이티
2021143	IoT기능과 차량식별(CNN) 알고리즘을 결합한	주식회사

지정번호	제품명	회사명
	주차관제시스템	넥스파시스템
2021201	영상기반 차량 속도측정 기술을 적용한 차량번호 판독시스템	주식회사 엑시냅스
2021198	유클래스 V.3.0	주식회사 엠에이치소프트
2021203	망분리 컴퓨터	주식회사 에이텍
2021205	고해상도 화면 마스킹 기술을 적용한 LED전광판	주식회사 보문테크닉스
2021200	딥러닝 기반의 방범·알림 영상감시시스템	주식회사 싸인텔레콤
2021204	다차선 번호인식 통합형 무인교통단속시스템	주식회사 세오
2021202	멀티무선통신시스템	주식회사 엘파코리아
2021199	신분증 기반의 AI 얼굴인식 본인확인(인증) 솔루션(S/W)	한국인식산업(주)
2022019	홈페이지용 전자점자 생성 솔루션	(주)에이티소프트
2022020	민원문서용 전자점자 생성 솔루션	(주)에이티소프트
2022018	AI 비전 시스템	(주) 휴먼아이씨티
2022025	고효율 음향기술이 적용된 스마트 방송시스템	가락전자(주)
2022029	맵기반 지능형 영상통합 감시시스템	주식회사센텍
2022028	편광 자동 분석 조절 시스템 적용 영상감시장치	사이테크놀로지스 주식회사
2022023	폴스타 EMS v8	(주)엔키아
2022026	영상워핑기법 기반 다차로 측주식 무인교통감시시스템	건아정보기술 주식회사
2022027	불꽃감지 카메라를 적용한 원격모니터링 영상감시 시스템	주식회사 웹게이트
2022024	대기질 센서를 활용한 실시간 모니터링 및 스마트 경보 방송 시스템	주식회사 나우시스템
2022017	덴티아이 v2.0(Denti-i v2.0)	주식회사 카이아이컴퍼니
2022021	콘업v1.0	주식회사 씨엠엑스
2022022	방사선관리구역 출입통제시스템 S/W	(주)유투엔지
2022087	ADR 리더스테이션 S/W	(주)유투엔지
2022086	방사선관리구역 출입통제시스템 S/W	(주)유투엔지
2022092	방송수신기	쿨사인주식회사
2022100	감지영역 지정구조 자기센싱 기술적용 주차관제시스템	주식회사 그린아이티코리아
2022099	멀티미디어 FDM 통합비상방송 시스템	주식회사 그린아이티코리아
2022094	전원제어감시장치를 이용한 무중단병렬전원형 LED 전광판 시스템	쿠도커뮤니케이션(주)
2022090	콘텐츠관리 솔루션 인포플렉스 V1.0	주식회사 레이월드
2022097	레이더 비콘	주식회사 아이플러스원
2022096	저전력, 고화질, 고신뢰성 LED전광판	주식회사 애즈원
2022158	3차원 입체시 기술을 활용한 영상시정시스템	공간정보기술 주식회사
2022098	레이더 차량카운트 기술을 적용하여 카운팅 인식율을 향상시킨 주차주제어장치	모바일파킹 유한회사
2022091	팔콘오토메이션플랫폼 v2.9.5	주식회사 알티넷
2022095	불량 모듈 회피 알고리즘을 적용한 디지털 사이니지 전광판	주식회사 싸인텔레콤
2022089	스마트 지하시설물 통합관리시스템 v1.0	주식회사 차후

지정번호	제품명	회사명
2022088	제니우스 이엠에스 v8.0	브레인즈컴퍼니 주식회사
2022093	고가용성 앰프복구 및 스피커자동점검통합방송시스템	마이크로닉시스템(주)
2022156	CCTV 영상암호화가 가능한 영상감시시스템	주식회사 비알인포텍
2022147	비대면 실시간 수업 송출 시스템	오픈스택 주식회사
2022155	딥러닝 기반 가시광선 및 적외선 영상 정합 감시 시스템	한국씨텍(주)
2022152	무인민원발급기	한국타피(주)
2022146	영상보안소프트웨어	(주)아이서티
2022148	다수사상자 대응시스템	주식회사 시큐웨어

[표] 정보·통신 우수제품 지정현황

3. 기계장치

1) AIRJOY 공기청정살균기
- 회사명: 주식회사 에스엠엔테크
- 지정번호: 2023046
- 물품분류명: 공기살균기

‣ 규격모델
- AIRJOY10 등 3종
‣ 인증내역
- (혁신조달운영과-284) : 20220118~20281231

2) 분할형 레이크를 구비한 로타리 제진기
- 회사명: 주식회사 한하산업
- 지정번호: 2023048
- 물품분류명: 제진기

‣ 규격모델
- H-SR-5558
‣ 인증내역
- 특허 실용신안(10-2289179) : 20210806~20410308
- K마크(PB12022-118) : 20220503~20240929

3) 살균·정화 성능 저하 방지 및 청정외기도입구조를 갖는 IoT 공기살균정화장치
- 회사명: (주)구츠
- 지정번호: 2023045
- 물품분류명: 공기살균기

‣ 규격모델
- GTZAS-SLL11D 등 2종
‣ 인증내역
- 특허 실용신안(제10-2031698호) : 20191007~20370824
- 특허 실용신안(제10-2172150호) : 20201026~20400724
- 자가품질(제2022-52호) : 20230101~20251231
- K마크(PC12022-263) : 20221020~20250726
- K마크(PC12021-222) : 20211019~20230726

4) 디젤발전기
- 회사명: (주)대흥기전
- 지정번호: 2023044
- 물품분류명: 디젤발전기

‣ 규격모델
  - DSG4750 등 268종
‣ 인증내역
  - 특허 실용신안(제10-1633898호) : 20160621~20360219
  - 특허 실용신안(제10-1976011호) : 20190430~20380807
  - 성능인증(21-ABB0582) : 20211209~20241208

5) 통합성능시험배관형 소방펌프 패키지 시스템
- 회사명: (주)두크
- 지정번호: 2023047
- 물품분류명: 소방용펌프

‣ 규격모델
  - 3FS-XRF20-4-XRF5-9 등 145종
‣ 인증내역
  - 특허 실용신안(10-2363039) : 20220210~20410915
  - 성능인증(22-AAI0469) : 20221115~20251114

6) 효율적인 원수투입 기능을 갖는 원심분리기(탈수기, 농축기)
- 회사명: 주식회사 이화에코시스템
- 지정번호: 2023049
- 물품분류명: 탈수및배수장치

‣ 규격모델
  - EDD-25 등 10 종
‣ 인증내역
  - 성능인증(22-AFI0349) : 20220816~20250815 특허 실용
    신안(10-2287744) : 20210803~20410105

7) 필터프레스 탈수기

- 회사명: (주)태영필트레이션시스템
- 지정번호: 2022202
- 물품분류명: 탈수및배수장치

‣ 규격모델
- TPM-1500-001 등 5종

‣ 인증내역
- 성능인증(20-AAZ0188) : 20200529~20230528
- 특허 실용신안(10-1916388) : 20181101~20281231
- 특허 실용신안(10-1916387) : 20181101~20281231

8) 막힘없이 이송가능한 오폐수용 수중펌프

- 회사명: 주식회사 신성터보마스터
- 지정번호: 2022201
- 물품분류명: 수중펌프

‣ 규격모델
- SSV150-15.0T 등 15종

‣ 인증내역
- (혁신조달운영과-5517) : 20221019~20281231
- 특허 실용신안(10-2219944) : 20210218~20401029

9) 착상 레벨 조정시스템 엘리베이터

- 회사명: 주식회사 한테크
- 지정번호: 2022192
- 물품분류명: 엘리베이터

‣ 규격모델
- HTEL-P7-1등 45종, 옵션 49종

‣ 인증내역
- 특허 실용신안(10-2018202) : 20190829~20390401
- 성능인증(20-AAZ0486) : 20201030~20231029
- K마크(PR12019-233) : 20191230~20231229

10) 기액 혼합극대화를 위한 가스인젝터를 적용한 고효율 탈취장치

- 회사명: 주식회사 코템
- 지정번호: 2022198
- 물품분류명: 탈취기

‣ 규격모델
- T.D.S-20 등 35종
‣ 인증내역
- 특허 실용신안(10-1789468) : 20171017~20370410
- 성능인증(21-GAZ0431) : 20201012~20231011

11) 유무선 자율제어 감시형 스노우멜팅시스템

- 회사명: 주식회사 우신이앤씨
- 지정번호: 2022196
- 물품분류명: 눈및얼음융해장치

‣ 규격모델
- WSMS-06 등 6종
‣ 인증내역
- 성능인증(22-AAI0201) : 20220429~20250428
- GS(21-0424) : 20210819~20321031
- 특허 실용신안(제10-1772513호) : 20170823~20361031

12) 승강와이어 겹침방지와 이중 제동장치를 적용한 무대장치

- 회사명: 제이엠스테이지 주식회사
- 지정번호: 2022195
- 물품분류명: 무대장치

‣ 규격모델
- TGR075K 등 17종
‣ 인증내역
- 성능인증(22-AAI0302) : 20220728~20250727
- 특허 실용신안(10-1732673) : 20170426~20361109
- 특허 실용신안(10-2322986) : 20211102~20410618

13) 제설제 살포기

- 회사명: 주식회사자동기
- 지정번호: 2022194
- 물품분류명: 모래살포기

‣ 규격모델
- SP-11P 등 4종

‣ 인증내역
- 특허 실용신안(제10-2306108호) : 20210917~20410429
- 성능인증(22-AAD0165) : 20220422~20250421
- K마크(PB12022-122) : 20220510~20250327

14) 부단수밸브

- 회사명: 정우정밀 주식회사
- 지정번호: 2022200
- 물품분류명: 제수밸브

‣ 규격모델
- SV-80등 10종

‣ 인증내역
- 특허 실용신안(101620049) : 20160503~20351103
- K마크(PB12022-021) : 20220126~20250125

15) 부양기술이 적용된 흡입력 자동제어 전기노면청소차

- 회사명: 리텍 주식회사
- 지정번호: 2022193
- 물품분류명: 노면청소차

‣ 규격모델
- RTRSER1A

‣ 인증내역
- 특허 실용신안(10-2350508) : 20220107~20411103
- K마크(PR12022-185) : 20220727~20240911
- 자가품질(2021-41) : 20211001~20240930

16) 대기압 벌크 플라즈마 기반 공기살균탈취기기

- 회사명: 주식회사 코비플라텍
- 지정번호: 2022199
- 물품분류명: 공기살균기

‣ 규격모델
- CPT-AP100 등 2종

‣ 인증내역
- (제 2020-187호) : 20220428~20250427

17) 음식물쓰레기종량기

- 회사명: 정한인프라 주식회사
- 지정번호: 2022203
- 물품분류명: 음식물쓰레기종량기

‣ 규격모델
- JHT-300BS

‣ 인증내역
- 특허 실용신안(10-2184801) : 20201124~20381024
- 특허 실용신안(10-1871309) : 20180620~20380118
- (22-1-0177) : 20220722~20250721

18) 에너지 절약형 친환경 공기조화기

- 회사명: 씨에이엔지니어링(주)
- 지정번호: 2022197
- 물품분류명: 공기조화기

씨에이엔지니어링(주)
CA ENGINEERING CO.,LTD.

‣ 규격모델
- CAS-0050 등 64종

‣ 인증내역
- 특허 실용신안(10-2352978) : 20220114~20410930
- 특허 실용신안(10-2383856) : 20220404~20411019
- K마크(PB12022-085) : 20220414~20230929

19) 제설제 자동 살포장치

- 회사명: 주식회사자동기
- 지정번호: 2022129
- 물품분류명: 눈및얼음융해장치

‣ 규격모델

- KAS10P 등 2종

‣ 인증내역

- NET(제2022-26호) : 20220708~20270707
- GS(22-0008) : 20220428~20281231
- 성능인증(21-AAZ0076) : 20210304~20240303

20) 승객용엘리베이터

- 회사명: 그린엘리베이터 주식회사
- 지정번호: 2022132
- 물품분류명: 엘리베이터

‣ 규격모델

- GREL-P7-60등 45종(추가선택품목 GR-CO-800등 69종)

‣ 인증내역

- K마크(PR12021-176) : 20210806~20240805
- 특허 실용신안(10-1995036) : 20190625~20390411
- 특허 실용신안(10-2009349) : 20190805~20390321
- 특허 실용신안(10-1977184) : 20190503~20381207

21) 3중 효용 폐열회수장치를 장착한 고효율 증기보일러

- 회사명: 주식회사 동광보일러
- 지정번호: 2022131
- 물품분류명: 연관보일러

‣ 규격모델
- KDFC-30HEXFSB 등 4종

‣ 인증내역
- 특허 실용신안(제10-1842713호) : 20180321~20371116
- 고효율기자재(제693호) : 20210915~20240914
- 고효율기자재(제695호) : 20210912~20240911
- 고효율기자재(제694호) : 20210915~20240914
- 고효율기자재(제692호) : 20210812~20240811
- 고효율기자재(제691호) : 20210812~20240811
- 고효율기자재(제699호) : 20210928~20240927
- 고효율기자재(제698호) : 20210928~20240927
- 고효율기자재(제696호) : 20210928~20240927

22) IoT 스마트 화재경보시스템

- 회사명: 주식회사 로제타텍
- 지정번호: 2022130
- 물품분류명: 융복합화재예방장비

‣ 규격모델
- RTS01 등 8종

‣ 인증내역
- 특허 실용신안(제10-2048034호) : 20191118~20390322
- 특허 실용신안(제10-2123763호) : 20200610~20390829
- (제20-1-0123호) : 20201223~20231222

23) 밸브시트링 완충 구조 적용을 통한 내구성 향상 버터플라이 밸브

- 회사명: (주)정도기계
- 지정번호: 2022077
- 물품분류명: 버터플라이밸브

‣ 규격모델
- PSW10-230-GB-0050A 등 9종
‣ 인증내역
- 특허 실용신안(10-1996560) : 20190628~20381228
- 성능인증(21-AAI0573) : 20211208~20241207

24) 항온항습기

- 회사명: (주)에이알
- 지정번호: 2022074
- 물품분류명: 항온항습기

‣ 규격모델
- PA020-A2EC-U 등 2종
‣ 인증내역
- 특허 실용신안(제10-2210920호) : 20210127~20401217
- K마크(PB12021-199) : 20210908~20230201
- 자가품질(제2019-42호) : 20200101~20221231
- 고효율기자재(항온항습기제147호) : 20220118~20250117

25) 도로분진 재비산을 막는 대기오염 저감 노면청소차

- 회사명: 신정개발특장차 주식회사
- 지정번호: 2022075
- 물품분류명: 노면청소차

‣ 규격모델
- RS06J 등 7종
‣ 인증내역
- 특허 실용신안(10-1958423) : 20190308~20380913
- K마크(PR12022-003) : 20220111~20230625
- 특허 실용신안(10-2258567) : 20210525~20410226

26) 항온항습용 배관장치와 그 제어를 통하여 설치공간 절약과 에너지 이용효율을 향상시킨 히트펌프 공조기
- 회사명: 주식회사 더한기술
- 지정번호: 2022078
- 물품분류명: 공기조화기

‣ 규격모델
  • PAH-A-60 등 10 종
‣ 인증내역
  • 특허 실용신안(10-2032090) : 20191007~20390220
  • K마크(PB12021-026) : 20210217~20240216

27) 보조스크린을 포함하는 더블체인회전식무빙스크린
- 회사명: (주)에취켓
- 지정번호: 2022079
- 물품분류명: 평면스크린

‣ 규격모델
  • HK-BMVS-10 등 6종
‣ 인증내역
  • 성능인증(19-CAI0305) : 20190603~20220602
  • 특허 실용신안(10-1577239) : 20151208~20351117

28) 수평, 수직 설치가 자유롭고 하중 감지가 가능한 활차일체형 무대구동장치
- 회사명: (주)백승엔지니어링
- 지정번호: 2022076
- 물품분류명: 무대장치

(주)백승엔지니어링

‣ 규격모델
  • PS-H-18.5외 1종
‣ 인증내역
  • 특허 실용신안(10-2111508) : 20200511~20391101
  • 성능인증(22-GAI0207) : 20210916~20240915

29) 세척장치를 구비한 플라즈마 축산 및 분뇨 악취제거기

- 회사명: 주식회사 삼도환경
- 지정번호: 2022004
- 물품분류명: 탈취기

‣ 규격모델
- TC-2500 등 2종

‣ 인증내역
- 특허 실용신안(10-1800230) : 20171116~20361208
- 특허 실용신안(10-1732531) : 20170426~20361229
- 성능인증(20-AAZ0278) : 20200714~20230713

30) 스크류드럼이동식무대구동장치가적용된무대장치

- 회사명: 주식회사 터보이엔지
- 지정번호: 2022001
- 물품분류명: 무대장치

‣ 규격모델
- HB-212 등 1종

‣ 인증내역
- 특허 실용신안(10-1871245) : 20180620~20361020
- 성능인증(21-AAZ0352) : 20210722~20240721

지정번호	제품명	회사명
2017107	도로분진흡입청소차	신정개발특장차 주식회사
2017098	강성보강 가로등주	주식회사 계영아이엔
2017099	수중용 스프르트 펌프	주식회사 신한펌프테크
2017100	BPA Free형 에폭시 수지 분체도장 수도용 소프트 실 제수밸브	신진정공 주식회사
2017101	이중 비상제동식 승·하강무대장치	제이엠스테이지 주식회사
2017102	볼형 아이들 스프로킷을 장착한 비금속 슬러지 수집기	(주)태광엔텍
2017104	조립성이 용이하고 풍량의 독립개폐조절이 가능한 팬코일유닛	신우공조 주식회사
2017106	다단 붐 구조 파괴 장치를 이용한 파괴방수 소방차	(주)진우에스엠씨
2017124	노면청소차	부커셰링코리아 주식회사
2017125	난방 및 급탕용 온수 간접가열방식의 온수보일러	주식회사 동광보일러
2017127	습식필터 신기술을 적용한 도로분진제거 노면청소차	신정개발특장차 주식회사
2017128	이온클러스터 공기조화기	주식회사

지정번호	제품명	회사명
		유성유천공조
2017129	경사 및 높이조절 밸브실	주식회사삼진정밀
2017130	공기살균기	다우코리아
2017131	제설제살포기	주식회사자동기
2017235	복수개의 드럼측 안내활차가 적용된 승하강 무대장치	주식회사아트필
2017237	레이크 변형방지장치를 장착한 로터리 제진기	동아정밀공업사
2017238	탈취장치	가나엔텍 주식회사
2017239	트레드밀	주식회사 디랙스
2017240	전동식 온냉배선카	명세씨엠케이 (주)
2018044	모터 침수방지를 위해 내장형 배출장치가 설치된 수중펌프	제이엠아이(주)
2018047	이동식 무대기계장치	주식회사 명스테이지
2018045	비례제어식 수평형 원심분리기(탈수용)	(주) 무한기술
2018053	운전비 절감형 냉각탑	주식회사성지공조기술
2018055	탄소 복합재 라이너 링이 적용된 펌프 및 펌프수문(수중펌프, 입축사류펌프, 양흡입 벌류트펌프, 펌프수문)	유한회사 한성산기
2018057	터보블로어	터보윈 주식회사 (Turbowin Co., Ltd.)
2018062	고장예측 시스템 적용과 정밀성이 강화된 무대장치	(주)한일티앤씨
2018059	이중주관식 주철제 보일러	(주)광희보일러
2018060	초저NOx 연소시스템과 통합 사물 인터넷을 적용한 친환경 음압형 증기식 온수 보일러	주식회사 부-스타
2018061	초저NOx 버너System 및 고성능 기수분리기를 병행한 비례제어 관류보일러	주식회사 부-스타
2018058	웨지바형 협잡물 처리기	한국환경기계(주)
2018054	공기조화기	주식회사 서번
2018127	미세먼지 및 도로분진흡입청소차	리텍 주식회사
2018129	에너지절감 디칸터형 원심탈수기	(주)로얄정공
2018121	응축수분 배출기능을 갖는 산소발생기	(주)옥서스
2018128	지열에너지를 활용한 2단가열식 지열시스템	주식회사 제이앤지
2018123	수격방지기	플로우테크 주식회사
2018124	협잡물의 저부통과를 방지한 구조의 로터리 제진기	주식회사 월드이노텍
2018122	면진테이블	주식회사 참솔테크
2018228	쌍안경 (Binoculars)	산주광학
2018230	승장문 조립체의 이탈방지 및 2중록킹장치의 성능을 개선한 승객용승강기	주식회사 모든엘리베이터
2018231	노면접지력 제어기능을 갖는 제설기	주식회사자동기
2018229	염 부산물 제거가 용이한 2단 구조 다단 약액 탈취 시스템	주식회사 유성엔지니어링
2018224	전동 액추에이터	주식회사 노아 엑츄에이션
2018227	산소발생기	주식회사 퓨리텍
2018226	공기 호흡기용 용기 안전충전함	주식회사 에이앤지테크
2018225	전기노면청소차	리텍 주식회사
2019036	스팀 컨벡션 오븐	주식회사 프라임
2019040	터빈 유량센서 내장형 스마트 부스터 펌프시스템	주식회사 세고산업
2019035	2중 브레이크가 적용된 레일식 승하강 조명타워	주식회사 삼진이아이씨

지정번호	제품명	회사명
2019037	상하분리형 스크린 및 더블레이크가 적용된 인양식 제진기	세광산업
2019039	공기순환기	은성화학주식회사
2019038	공기조화기	한국공조엔지니어링주식회사
2019041	파쇄돌기형 커팅부와 탈수용 스크린을 적용한 협잡물 처리용 스크류 프레스	성진
2019119	양방향 다중실링 버터플라이밸브	주식회사삼진정밀
2019122	팬 터미널 유닛을 적용한 등압식 통합형 바닥취출공조 시스템	주식회사 케이프로텍
2019153	무동력 배기가스 재순환 및 이상 진동 감지 기능을 가진 고효율보일러	(주)대열보일러
2019120	다목적도로관리차	리텍 주식회사
2019123	제설작업 속도와 적설상황에 따른 제어기술이 적용된 제설기	리텍 주식회사
2019117	영상감지형 액상제설제 살포장치	(주)에스알디코리아
2019121	각종센서(정압, 온도, CO₂)를 통한 풍량제어 기술이 적용된 공기조화기	에이스공조(주)
2019116	케이블보호장치 부착형 수중펌프	신우중공업 주식회사
2019118	서랍인출방식 스크린 및 여과부로 구성된 교대부착용 초기우수처리시설(비점오염저감장치)	주식회사 지온
2019141	파봉기(산업용분리기)	주식회사 다원산업
2019147	응축폐열을 이용한 복합냉동시스템	주식회사 신진에너텍
2019151	배관부식억제장치 스케일버스터 알파	주식회사 진행워터웨이
2019150	이동식 자립형 방수총	주식회사 피노
2019152	음식물쓰레기종량기	(주)콘포테크
2019144	면진이중마루	주식회사 참솔테크
2019145	무폐쇄 이물질 배출형 수중펌프	신우중공업 주식회사
2019149	유체진동을 이용한 전자식 수도미터	신동아전자 주식회사
2019143	에스컬레이터 및 무빙워크용 역주행방지장치	제일에스컬레이터 주식회사
2019148	다기능 절전형 대형냉장고	주식회사 쿨맥스
2019142	모듈식 갈퀴형 경사 스크린 및 차단밸브를 적용한 협잡물 제거장치	거림환경주식회사
2019199	제빙기	주식회사 아이스트로
2019281	진동방지장치	주식회사 에스앤와이시스템
2019198	도로 분진 제거가 가능한 노면청소차	리텍 주식회사
2019201	단부처리용 충격흡수장치	주식회사 모든길
2019200	먼지제거장치가 적용되어 풍량 및 차압성능을 유지시키는 공기순환기	유한책임회사 센도리
2019257	경사 및 높이조절 밸브실	주식회사 디케이금속
2019263	음식물쓰레기종량기	일월정밀주식회사
2019258	공기조화기	(주)삼화에이스
2019259	이송압력유지부를 부착한 수중모터펌프	삼진공업 주식회사
2019260	테이퍼 주축의 3엽 스크류펌프	주식회사 유성엔지니어링
2019255	대테러 자동 볼라드	주식회사 신길씨큐리티
2019254	- 열화상 카메라를 이용하여 SCR 온도를 감시하는 기능을 갖는 전동기 시동기	산일전기 주식회사

지정번호	제품명	회사명
2019262	3Way screen 방식의 자동 제진기	(주)에싸
2019256	FIR 기술을 적용한 저녹스 가스버너	(주)수국
2020023	오수처리시설	(주)청운
2020024	살수식 용해호퍼와 급속용해방식을 적용한 제설용액 제조기	주식회사자동기
2020016	히트펌프의 냉매와 가습용 급수가 열교환 되는 하이브리드 기술 적용 항온항습기	(주)세원센추리
2020022	원격감시제어형 개별회동 제진기	주식회사 신정기공
2020025	상황별 공조가 가능한 에너지 절약형 공기조화기	주식회사 세원기연
2020018	밸브작동기	주식회사 에너토크
2020019	제설재 살포기	리텍 주식회사
2020021	전자저울 안정기술을 적용한 멀티통신 음식물 쓰레기 종량기	주식회사 부민더블유엔피
2020015	2단 분리 열교환 방식의 고효율 저온수 2단 흡수식 냉동기	(주) 월드에너지
2020020	다중제어벽과 다단세정부를 이용하여 악취제거 효율을 증대시키는 탈취기	디엠엔텍 주식회사
2020017	공기청정 기능을 갖는 열회수 환기시스템	주식회사 에코이엔지
2020063	냉매 과냉각 및 과열증기 냉각 이용한 복합열원 히트펌프시스템	주식회사 유천써모텍
2020071	원격제어 및 무인자동운전으로 구성된 자동역세형 비점오염저감장치	주식회사 지온
2020070	안내깃을 이용한 가스회전 및 세정액과 접촉하는 무충진 탈취기	주식회사 시원기업
2020066	항온항습기	(주)에이알
2020064	오염 및 열화물과 산 제거형 통합 윤활유 여과기	주식회사 솔지
2020062	조리실 그리스트랩 폐유분해 장치	윤슬 주식회사
2020065	노면살수차	신정개발특장차 주식회사
2020069	단일탑 다단 세정 탈취기	주식회사 이화에코시스템
2020068	곡선형 만곡부를 가지는 돌기형 날개구조 임펠러와 막힘방지용 커버를 적용한 수중펌프	기산수기
2020067	라이닝 버터플라이 밸브	경진산업
2020119	회류 및 난류 방지장치와 스페이서가 적용된 수중펌프	신신이앤지(주)
2020115	지열히트펌프 시스템	(주)에너솔라
2020120	연돌배기가스분석기	주식회사 디엑스지
2020114	시소형 보조덮개 비금속 수문밸브	(주)현대밸브
2020113	협잡물종합처리기	동진기공
2020118	안전성이 뛰어난 그리드 시스템과 4방향 구조변동 구동장치가 적용된 무대기계	주식회사 신진스테이지
2020117	사계절 도로관리 살포장치	리텍 주식회사
2020116	고효율 라인농축 스크류프레스 탈수시스템	장우기계(주)
2020200	실시간 자동누수감지 기술을 적용한 부스터펌프시스템	주식회사 대영파워펌프
2020204	에너지절약형 공기조화기	주식회사 에스앤에이치이엔지
2020206	돌기부착형 슬러지유입관 회전식 원심탈수기	(주)에이알케이
2020244	수직탄성플레이트와 이중 교차배열로 면진성능을 극대화한 8각 면진테이블	주식회사 동성이엔지앤디자인
2020205	버터플라이밸브	서광공업 주식회사
2020202	코로나 방전기술에 의한 흡착식 및 세정식 복합형	(주)지이테크

지정번호	제품명	회사명
	탈취기	
2020198	텔레스코픽 가이드가 부착된 하단인양 수문	해전산업 주식회사
2020199	전동 액츄에이터	뉴토크코리아주식회사
2020203	공기조화기	(주)휴먼에어텍
2020194	와이어로프 안내유도 및 이탈 방지 승하강 안전장치를 적용한 무대장치	(주)유성스테이지
2020201	축열식 히트펌프 시스템	주식회사 에너지컨설팅
2020197	삼중지수 부단수밸브(유지보수용 보조밸브 내장형)	대풍건설
2020195	360° 회전 탑승함을 적용한 직진붐식 소형인명구조용 소방차	(주)진우에스엠씨
2020196	장스팬 타입의 전도식 가동보	(주)지서산업
2021057	탄력시트 수도용 부단수 소프트 실 제수밸브	신진정공 주식회사
2021055	유량계산 프로세서가 적용된 부스터펌프	(주)두크
2021062	살수차	계백자동차 주식회사
2021063	원위치복원장치와 이탈방지홈을 구비한 면진장치	주식회사 면진테크
2021056	시운전 및 긴급정비가 가능하고 세척 기능을 갖는 입축·수중펌프	주식회사 대한중전기
2021061	함수율 조절유닛 및 분리액 배출 보텍스가이드를 적용한 원심분리 농축 탈수기	성진
2021058	유동볼-밸런싱 구조의 시트일체형 버터플라이밸브	주식회사 신정기공
2021059	친환경 저녹스 가스버너	(주)수국
2021060	이중 여과방식의 자동역세필터시스템 (정밀여과장치)	주식회사미드니
2021105	디지털이미지검침기	영아이티 주식회사
2021104	무대전용 인터록 기술을 적용하여 공연의 안전을 향상시킨 무대장치	주식회사 하온아텍
2021103	공기분사형 원심탈수기	주식회사 이앤에프
2021106	프론트 롤러가 적용된 슬러지 수집기	주식회사 고려기술
2021125	온습도 제어가 가능한 발전소 판넬용 열전냉각기	주식회사 씨앤엘
2021163	공기호흡기용 충전기	주식회사 엠에스엘콤프레서
2021164	공기호흡기용 충전함	주식회사 엠에스엘콤프레서
2021162	태양광 패널 청소 로봇	(주)에코센스
2021167	볼밸브	서광공업 주식회사
2021161	식판 각도조절 기술을 적용한 친환경 식기세척기	(주) 자숨
2021166	Ai연동 스마트소화기 및 시큐리티 시스템	주식회사 샤픈고트
2021165	친환경 재가공 소화기	주식회사 유원티씨
2021212	흡입측 유도기술과 실시간 모니터링 시스템 적용 고효율 수중모터펌프	주식회사 제이에스엔지니어링
2021210	고효율 전기식 노면 및 살수 청소차	(주)크린텍
2021211	맥동저감 컨트롤 밸브	주식회사삼진정밀
2021216	냉각팬이 필요없는 고효율 터보블로워	(주)티앤이코리아
2021206	화력발전소 보일러 수관용 초고경도 Fe-Cr-Ni-B계 아크용사용와이어(외경 1.6mm)	(주)한국코팅
2021215	정압 조절용 댐퍼와 냉각수 살수량 조절용 By-Pass를 구비한 대향류형 냉각탑 백연방지 장치	(주)풍천엔지니어링
2022071	용접 모니터링형 하이브리드 용접기	(주)포스테크
2021208	비상구난용 엘리베이터	주식회사 송산특수엘리베이터
2021214	무압식 취반기	주식회사 프라임

지정번호	제품명	회사명
2022072	제빙량의 극대화 및 운전진단 기술을 적용한 위생적인 제빙기	블루닉스 주식회사
2022073	배가스 폐열회수 및 탈습 겸용장치가 적용된 슬러지 고압축 디스크 건조기	장우기계(주)
2021209	편의시설용 멀티 엘리베이터	(주)대륜엘리스
2021213	유량 및 배관 마찰손실 예측에 기반한 가변압 제어 인버터 가압급수 부스터펌프	주식회사 한국펌프앤시스템즈
2021218	가변형 적층 흡수식 복합오염 악취물질 탈취기	(주)신화엔바텍
2021217	가변형 유로 제어 기능을 갖는 원형헤파필터 내장형 공기조화기	주식회사 플랜트코리아
2021207	승객용 엘리베이터	대성아이디에스(주)
2022009	탄성지지력 및 감지 중량 조절 기술을 적용한 평면스크린	주식회사 효성엔바이로
2022002	수직가압형 벨트프레스	주식회사 동일캔바스엔지니어링
2022003	코어구조를 통해 노로바이러스 제거 필터를 가진 고성능 대용량 정수기	(주)케이에스피
2022007	SDP 소재를 활용한 제습,열회수형 환기장치	주식회사 휴마스터
2022008	디스크 위치 확인 및 제어기능을 갖는 버터플라이밸브	(주)현대밸브
2022010	원터치형 수문권양기	광희엔지니어링(주)
2022011	하폐수처리장에서 발생되는 슬러지와 응집제 혼합을 균일하게 공급하는 원심분리기	원진기계 주식회사
2022006	주 유로의 유동을 이용한 냉각방식의 고효율 터보 송풍기	(주)터보맥스
2022005	수질감시, 수질관리가 가능한 스마트 염소투입시스템	모두산업

[표] 기계장치 우수제품 지정현황

4. 건설·환경

1) 고밀착성 피복 파형강관
- 회사명: 대한강관 주식회사
- 지정번호: 2023039
- 물품분류명: 파형강관

‣ 규격모델
- NPES-016-H0150 등 72종

‣ 인증내역
- NEP(NEP-MOTIE-2021-146) : 20211207~20241206

2) 개별역세 기술로 역세척 효율이 향상된 여과기
- 회사명: 주식회사 코리아이피디
- 지정번호: 2023035
- 물품분류명: 압력식여과장치

‣ 규격모델
- HGF-03 등 6종

‣ 인증내역
- 특허 실용신안(10-2333677) : 20211126~20410112
- K마크(PB12023-025) : 20230126~20260125

3) 내진형 불연천장판넬시스템
- 회사명: 주식회사 화영
- 지정번호: 2023034
- 물품분류명: 천장패널

‣ 규격모델
- HY-EP01

‣ 인증내역
- 특허 실용신안(제10-2310529호) : 20211001~20390920
- K마크(PF12022-110) : 20220502~20250501

4) H-Flex 유닛을 이용한 지진충격 감소 및 삼중 단열창호

- 회사명: 지엘아이 주식회사
- 지정번호: 2023036
- 물품분류명: 금속제창

‣ 규격모델
- GLI-E-CW200-3 등 4종

‣ 인증내역
- NET(제1416호) : 20220518~20240517
- 자가품질(제2021-77호) : 20220101~20241231
- 특허 실용신안(제10-2342024호) : 20211217~20410708
- 환경마크(제27271호) : 20220721~20250720

5) 실내바닥재용 탄성고무매트

- 회사명: 주식회사 플러버
- 지정번호: 2023027
- 물품분류명: 고무마루재

‣ 규격모델
- 3MRd 등 32종

‣ 인증내역
- K마크(PM12021-203) : 20210927~20240926
- 환경마크(제25481호) : 20211102~20241101
- 특허 실용신안(10-2218082) : 20210215~20400922
- 특허 실용신안(10-2407100) : 20220603~20420324

6) 광섬유를 이용한 발광형 교통안전표지

- 회사명: 효성종합 주식회사
- 지정번호: 2023026
- 물품분류명: 교통표지

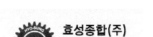

‣ 규격모델
- HSR-W140M 등 10개 제품

‣ 인증내역
- (제2020-084호) : 20201231~20231230
- 특허 실용신안(제10-1946328호) : 20190131~20380716

7) 결합력과 강성이 향상된 고수밀 하수관

- 회사명: (주)동원프라스틱
- 지정번호: 2023041
- 물품분류명: 폴리에틸렌관

‣ 규격모델
- DWUKP-1-150 등 57종
‣ 인증내역
- 자가품질(제 2020-59 호) : 20210101~20231231
- 특허 실용신안(제 10-2418257호) : 20220704~20420218

8) 준불연 열교차단재(NF-STAR열교차단재)

- 회사명: (주)스타빌엔지니어링
- 지정번호: 2023031
- 물품분류명: 발포폴리스티렌단열재

‣ 규격모델
- NF W150-A1외 1종
‣ 인증내역
- (혁신조달운영과-5517) : 20221019~20281231

9) 탁월한 플레이 성능 유지와 고내구성의 메탈로센 PE 수지 다형상 인조잔디 시스템

- 회사명: 지앤지텍 주식회사
- 지정번호: 2023028
- 물품분류명: 인조잔디

‣ 규격모델
- 인조잔디, 지앤지텍, GG550, t55mm, 충전재
‣ 인증내역
- 특허 실용신안(제10-2244250호) : 20210420~20400115
- 특허 실용신안(제10-2259269호) : 20210526~20401030
- 특허 실용신안(제10-2199953호) : 20210104~20280726
- 성능인증(22-AGM0505) : 20221201~20251130
- 환경마크(제25445호) : 20211027~20241026
- K마크(PG12021-231) : 20211020~20241019
- K마크(PG12021-232) : 20211020~20241019

10) 접합부이탈방지 및 강도향상을 위한 다중격벽 구조의 관

- 회사명: (주)월드케미칼
- 지정번호: 2023042
- 물품분류명: 폴리에틸렌관

‣ 규격모델
  - WC-HP2-100 등 20종
‣ 인증내역
  - 자가품질(제2021-67호) : 20220101~20241231
  - 특허 실용신안(제10-1647606) : 20160804~20351111

11) 외단열 발코니용 열교차단 단열구조체

- 회사명: 주식회사 정양에스지
- 지정번호: 2023032
- 물품분류명: 구조용열교차단재

‣ 규격모델
  - LBN-EXT-SLB- H6B4-H210
‣ 인증내역
  - NEP(NEP-MOTIE-2022-173) : 20220922~20250921

12) 광방출단 열처리로 광확산 및 시인성을 향상한 태양광 광섬유 발광형표지판

- 회사명: 주식회사 인프라텍
- 지정번호: 2023024
- 물품분류명: 교통표지

‣ 규격모델
  - IN001-JU-090080 등 301종
‣ 인증내역
  - 특허 실용신안(10-1991329) : 20190614~20381016
  - K마크(PB12023-022) : 20230125~20240705
  - 특허 실용신안(10-2017549) : 20190828~20381127

13) 성형이 용이한 스테인리스 폴리에틸렌 융합 복합관

- 회사명: 주식회사 금강
- 지정번호: 2023040
- 물품분류명: 피복강관

    ‣ 규격모델
- SP100N 등 22종

    ‣ 인증내역
- 특허 실용신안(10-2148114) : 20200819~20320131
- K마크(PM12022-142) : 20220704~20250328
- 환경마크(14402) : 20220418~20240922

14) 허니콤 볼라드

- 회사명: 주식회사 로드원
- 지정번호: 2023025
- 물품분류명: 볼라드

    ‣ 규격모델
- R1-HB800 등 8종

    ‣ 인증내역
- 성능인증(22-ADI0506) : 20221201~20251130
- NET(1417) : 20220518~20250517

15) 고내구성 방수방근 일체화 합성 고분자 복합방수시트

- 회사명: 주식회사 한양엔티
- 지정번호: 2023030
- 물품분류명: 방수시트

    ‣ 규격모델
- HYB-EX-1000(노출)외1종

주식회사 한양N.T
주식회사 한양방수

    ‣ 인증내역
- 특허 실용신안(2187930) : 20201201~20400522
- 환경마크(24899) : 20210812~20240811
- 환경마크(24900) : 20210812~20240811

16) 형태 안정성이 우수한 천연 복합소재 인조잔디 구조체

- 회사명: (주)티엠
- 지정번호: 2023029
- 물품분류명: 인조잔디

‣ 규격모델
- TM-55 등 2종

‣ 인증내역
- 특허 실용신안(제 10-2294464호) : 20210824~20400527
- 특허 실용신안(제 10-2305683호) : 20210917~20410330
- 환경마크(제27110호) : 20220630~20250629
- K마크(PG 12022-079) : 20220411~20250410
- K마크(PG 12022-080) : 20220411~20250410

17) 단열지지대 형성으로 조립성과 단열성이 향상된 스윙창

- 회사명: 주식회사 신성기업
- 지정번호: 2023037
- 물품분류명: 금속제창

‣ 규격모델
- SS-AW-CPJ03

‣ 인증내역
- 자가품질(2021-05) : 20210701~20240630
- 환경마크(24378) : 20210525~20240524
- 성능인증(22-GCP0418) : 20220817~20250816
- 특허 실용신안(2065295) : 20200106~20390226

18) 변위 수용 구조를 통한 내진성능과 시공성이 우수한 금속제 패널

- 회사명: (주)차본
- 지정번호: 2023033
- 물품분류명: 외벽패널

‣ 규격모델
- CB-A30tAT

‣ 인증내역
- 특허 실용신안(제10-2273739호) : 20210630~20401228
- 성능인증(22-ADI0211) : 20220504~20250503

19) 내충격PVC상하수도관

- 회사명: (주)뉴보텍
- 지정번호: 2023043
- 물품분류명: 경질폴리염화비닐관

‣ 규격모델
  - NVST16 등 37종
‣ 인증내역
  - 특허 실용신안(10-1756895) : 20170705~20360629
  - 특허 실용신안(10-2376770) : 20220316~20410929
  - 특허 실용신안(10-1688112) : 20161214~20360629
  - 자가품질(제2021-31호) : 20211001~20240930
  - 자가품질(제2019-02호) : 20190628~20230627

20) 금속제창

- 회사명: 주식회사 글로윈스
- 지정번호: 2023038
- 물품분류명: 금속제창

‣ 규격모델
  - GNS245-APW 16SL 등 6종
‣ 인증내역
  - 특허 실용신안(102063537) : 20200102~20381130
  - 환경마크(27387) : 20220804~20250803

21) 진동흡수용 복합결합장치를 적용한 멀티시스템 패널

- 회사명: 덕인금속주식회사
- 지정번호: 2022225
- 물품분류명: 외벽패널

‣ 규격모델
  - MS-A02-03 등 3종
‣ 인증내역
  - 특허 실용신안(10-2177163) : 20201104~20400624
  - NET(제1388호) : 20211207~20231206
  - 성능인증(22-ACL0202) : 20220429~20250428

22) 부반력키 내장형 스페리컬 받침

- 회사명: 아이컨 주식회사
- 지정번호: 2022221
- 물품분류명: 교량받침

‣ 규격모델
  - ICONSB-0050-A-F0 등 250 종
‣ 인증내역
  - 신뢰성인증(R-KORAS-2021-029) : 20211018~20261017
  - 특허 실용신안(제 10-2302349호) : 20210909~20410416

23) 재활용 섬유패널, 플러스넬

- 회사명: 주식회사 세진플러스
- 지정번호: 2022226
- 물품분류명: 내벽패널

‣ 규격모델
  - 실내벽체마감패널,   세진플러스,   SEJINPL-100, 2400×1000×t10mm 1종
‣ 인증내역
  - NEP(NEP-MOTIE-2022-162) : 20220506~20250505
  - GR 마크(15043001) : 20211028~20241027
  - 특허 실용신안(10-1886411) : 20170801~20371017

24) 데크의 손상없이 내구성과 시공성이 향상된 데크로드 시스템

- 회사명: 가온조경건설주식회사
- 지정번호: 2022230
- 물품분류명: 조경시설물

‣ 규격모델
  - GY-DL-1010 등 50종
‣ 인증내역
  - 특허 실용신안(10-1930840) : 20181213~20380911
  - 특허 실용신안(10-1991026) : 20190613~20381211
  - 성능인증(22-GDJ0139) : 20201222~20231221

25) 미끄럼방지 기능이 우수한 보도용 특수블록

- 회사명: 한국보행안전개발원 주식회사
- 지정번호: 2022229
- 물품분류명: 특수블록

한국보행안전개발원(주)

‣ 규격모델
- GlassBead-SPB-2020-DB등 13종
‣ 인증내역
- 특허 실용신안(10-2327819) : 20211112~20410604
- K마크(PB12022-086) : 20220418~20250417

26) 해상부유구조물

- 회사명: 주식회사 지오
- 지정번호: 2022223
- 물품분류명: 해상부유구조물

GO CORP
Golf Original Corporation

‣ 규격모델
- GOT1300L04510611 등224종
‣ 인증내역
- 특허 실용신안(10-1880899) : 20180717~20230124
- 성능인증(22-GLN0105) : 20220121~20250120

27) 기압차에 의한 요동저감장치를 구비한 콘크리트 부유체(잔교)

- 회사명: 주식회사 블루오션테크
- 지정번호: 2022222
- 물품분류명: 잔교

‣ 규격모델
- BOC01205010 등 168종
‣ 인증내역
- 성능인증(22-ADP0355) : 20220823~20250822
- 특허 실용신안(10-2145055) : 20220810~20400220

28) 커피박을 재활용한 커피박 플라스틱 복합재 바닥판

- 회사명: 주식회사 동하
- 지정번호: 2022231
- 물품분류명: 합성목재

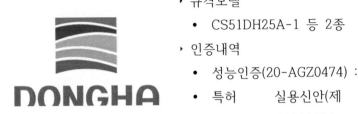

‣ 규격모델
  - CS51DH25A-1 등 2종
‣ 인증내역
  - 성능인증(20-AGZ0474) : 20201023~20231022
  - 특허   실용신안(제   10-1994600   호)   : 20190624~20390104

29) 잔디보호매트

- 회사명: 키그린(주)
- 지정번호: 2022228
- 물품분류명: 잔디보호매트

‣ 규격모델
  - KPMD
‣ 인증내역
  - 특허 실용신안(10-2275539) : 20210705~20401116
  - K마크(PM12022-007) : 20220111~20250801

30) 무전원 시에도 고속작동되는 대테러 차량 및 전차 방호장치

- 회사명: (주)디앤에스테크놀로지
- 지정번호: 2022227
- 물품분류명: 바리케이드

‣ 규격모델
  - DSH-4000등 4종
‣ 인증내역
  - K마크(PB12022-246) : 20221017~20250220
  - 특허 실용신안(10-2410114) : 20220614~20420316

지정번호	제품명	회사명
2017071	해상부유구조물	주식회사 블루오션테크
2017076	스피드 로 포켓	(주)한수도로산업

지정번호	제품명	회사명
2017065	에코넷 매트리스	주식회사 리버앤텍
2017069	교량용 분리형 스페리컬 받침	진형건설 주식회사
2017066	회전여과 입수관을 구비한 STS 물탱크	한삼코라(주)
2017072	융털형 섬유여과포 및 흡입장치를 이용한 여과장치	주식회사 그레넥스
2017078	내면보강구조 친환경 피복형 다중벽 하수관	조은산업(주)
2017068	차량방호울타리 충격흡수시설	우신그린산업 주식회사
2017067	연질 막형 흡음형 방음판	도아기업 주식회사
2017073	여과재 순환 코팅 시스템을 구비한 가압필터여과장치	케이원에코텍 주식회사
2017079	내충격 PVC상하수도관	(주)뉴보텍
2017145	보도용 석제맨홀뚜껑	(주)아시아젠트라
2017143	식생매트	(주)호정산업
2017134	내충격성 PVC관(수도관, 하수관)	(주)홍일산업
2017138	세계 최초 MATRIX 탄성체를 숨겨놓은 조립식 스포츠 바닥재	주식회사 필드원종합건설
2017141	조립식 평탄도로표지판	동우산업주식회사
2017142	비용접 분할패널결합 조립식 도로표지판	주식회사 선진정밀
2017139	균열의 자기치유 및 Gear형 PC암거	주식회사모든피씨산업
2017147	사축매몰용 저장탱크	(주)하나환경
2017140	전단보강 일체형 교량받침	주식회사 광원아이앤디
2017136	과열증기 건조방법이 적용된 목재	주식회사 나무나라
2017137	목재활용성이 높은 알루미늄 구조체데크 시스템	에스와이우드 주식회사
2017144	당밀과 유기산을 이용한 고결화 방지 고상 제설제	(주)지오에코텍
2017218	이중지수 폴리에틸렌 피복강관 및 연결구	주식회사 위스코
2017222	단열 미서기창	주식회사 원진알미늄
2017220	폴리우레아수지계 방수.방식코팅제	주식회사 새론테크
2017225	차선분리대	주식회사 이도산업
2017231	단열커튼월	주식회사 경원알미늄
2017228	잔디보호매트	키그린(주)
2017217	딤플형 파형강관(딤플형 연결장치가 적용된 파형강관)	(주)서해금속산업
2017226	단부처리용 충격완충장치	우신그린산업 주식회사
2017224	광섬유 자동 침직 장치를 이용한 시인성과 내구성이 향상된 발광형 표지판	주식회사 인프라텍
2017216	차수형 다중벽관	(주)파이프랜드
2017223	집광식 내부조명 표지판	주식회사 제이에스컴
2017229	YP치수방재 식생매트	유풍산업
2017227	화재보호용 요철구조와 무기난연제를 이용한 차화커버	주식회사 광운기술
2017219	특수롤러를 이용한 미끄럼방지 포장재	주식회사 현대하이텍
2017232	새들용 결합 클립 및 방수부재가 구비된 다기능 지붕패널	(주)일강케이스판
2017233	뽑힘 방지 및 내풍압 기능이 향상된 퍼걸러	(주)금오조경개발
2018031	하이큐 절전 화장실칸막이	큐시스
2018020	재활용 소재를 이용한 경관석(인조암) 패널(ECOROCK)	미주강화주식회사
2018028	적층형 이동식 안전작업대	주식회사 세일시스
2018021	보강부재 및 연결이음부재가 구비된 금속지붕패널	스카이패널 주식회사
2018023	고정앵커를 이용한 원지반 밀착형 스톤매트리스	주식회사 석송

지정번호	제품명	회사명
2018030	조립식 파티션	주식회사 비앤씨컴퍼니
2018025	노바 데크 플레이트	주식회사 원하이텍
2018022	합성수지제창	주식회사 원진알미늄
2018077	광섬유 끝단을 가공하여 시야각을 향상시킨 발광형 교통 및 도로표지판	(주)피엘티
2018075	금속제창	(주)신창산업
2018082	분리형 스페리칼 받침	유니슨에이치케이알 주식회사
2018084	수질정화 어독성 및 식생성능이 우수한 콘크리트 호안 및 옹벽블록	주식회사 우주산업
2018088	열전도 캡을 적용한 온수난방패널	주식회사 태경에너지
2018083	철도용 고회전 분리형 스페리컬 받침	주식회사 광원아이앤디
2018079	내충격 PVC 상하수도관	(주)삼정디씨피
2018089	그래핀 복합수지 코팅 강관말뚝	웰텍(주)
2018080	동파방지 기능을 가진 관로탐지용 PE 수도관	미래화학(주)
2018087	육각형 이중 답압저항 구조를 적용한 잔디보호매트	와이쓰리
2018076	승강시스템 미서기안전창	주식회사 유니크시스템
2018078	방사형 다단여과 기술을 적용한 초기우수 및 합류식 하수월류수 여과장치	(주)피앤아이휴먼코리아
2018085	침수인발 유지율이 우수한 무방향성 인조잔디	주식회사 미도플러스 (MIDOPLUS Inc.)
2018086	투과율이 우수한 기능성 인조잔디	주식회사 필드글로벌
2018156	시공성과 안전성이 향상된 데크시스템	주식회사 아키페이스
2018155	데크클립을 이용한 천연목재 데크로드	(유)송원이엔지
2018151	원터치 신축일체형 폴리에틸렌관	(주)용전
2018152	슬라이딩 조립식 플라스틱(UPVC) 부재를 이용한 수직벌집구조의 빗물저류조	(주)피앤아이휴먼코리아
2018146	스테인리스 면진형 물탱크	(주)문창
2018144	차량하부검색장치	(주)디앤에스테크놀로지
2018154	패각을 활용한 합성목재	유풍산업
2018263	RC보강 파형강판	(주)픽슨
2018150	조립식체육시설바닥재	주식회사 에이컴퍼니
2018161	오수받이	주식회사 티케이씨
2018157	뒤틀림이 없는 조립식 데크	주식회사 푸른이엔티(E.N.T)
2018159	흡음용천장재	현대금속산업주식회사
2018158	화이바글라스 진공단열재	주식회사 그린인슐레이터
2018148	생분해성이 용이한 인조잔디용 충진재	주식회사 장안
2018160	트랩 착탈식 오수받이	(주)삼정디씨피
2018162	태양광발전설비를 겸비한 지붕패널시스템	(주)일강케이스판
2018142	CFRP 내부긴장재를 활용한 교통신호등 철주	유한회사 성광산업
2018164	단열 시스템 창호	안산건업 주식회사
2018145	이동량게이지를 구비한 일체형 탄성받침	유니슨에이치케이알 주식회사
2018153	레일형 신축이음장치 (FRJ)	대경산업 주식회사
2018147	소켓형 내.외면 폴리에틸렌 피복강관 및 분할형 소켓링	(주)코팅코리아

지정번호	제품명	회사명
	연결구	
2018165	미세먼지유입방지클린창	신환경복합창주식회사
2018149	충진제 고정용 격자 시트	주식회사 인비텍
2018242	막구조물	주식회사 다온
2018243	충격흡수율이 우수한 이중구조 인조잔디	케이앤비준우(주)
2018260	SPEP패널 원통형 물탱크	주식회사 복주
2018258	조립식 빗물 침투형 저류블록	주식회사클레이맥스
2018250	내진형 단열 커튼월	주식회사 영남유리산업
2018237	내충격용 수도용, 하수도용 경질폴리염화비닐관	(주)티지에프
2018244	차열, 대전 방지 및 자기치유가 가능한 인조잔디	주식회사 액션필드
2018253	차열성 콘크리트블록 (어스쿨블록)	주식회사 엔씨원
2018257	자외선살균장치	디엠엔텍 주식회사
2018255	태양광 LED 안내판	주식회사 카이넥스엠
2018262	열차단 패드가 구비 된 구조보강 금속지붕패널	(주)흥성이엔씨
2018240	합성목재	(주)더우드
2018238	터보씰	(주)리뉴시스템
2018239	중성화 및 염해방지용 중방식 코팅제	주식회사 새론테크
2018249	단열시스템창	주식회사 원진알미늄
2018246	HI-VAN 슬라이드 3.5 오수받이	주식회사 고리
2018245	강화 폴리우레탄 스프레이도장 말뚝	한국종합철관 주식회사
2018241	이중구조 합성목재	주식회사웹스
2018247	원터치 끼움결합 구조의 커튼월(폭: 170mm)	신도주식회사
2018235	유압식금속바리케이드(로드블럭)	대영
2018261	PE복합 스테인리스 강판재 물탱크	성일테크원 주식회사
2018248	단열재(EPS)고기밀 충전기술을 적용하여 단열성능을 향상시킨 금속제창	주식회사원가람
2018236	이탈방지 이중벽 편수칼라관	(주)삼정디씨피
2018254	EN-MBS-8 등 8종	이엔후레쉬주식회사
2018252	콘크리트 호안블럭	(주)그랜드코단
2018259	빗물 유입 조절장치를 갖는 우수토실	혜성신기술
2018251	내마모성이 우수한 분리형 교량받침	주식회사 디에스엘
2019031	수밀성이 향상된 파형강관	(주)다은
2019030	플랜지 일체형 유리솜 강화수지 피복파형강관	(주)대양씨에스피
2019033	자연석 고착 환경철망	주식회사 도운
2019034	단열미서기창	(주)신창산업
2019029	방수 라이닝용 PP롤 항균 방수시트	주식회사 안센
2019019	이동식터널진입차단시설	두리시스템
2019024	3중구조 합성수지덱	주식회사 에스아이월드
2019026	삼중벽 내충격 PVC 상.하수도관	주식회사 고리
2019025	내외장 마감재용 아크릴수지 함침시트를 이용한 친환경 목제문,목제창	에이스팀버 주식회사
2019023	양방향 유선신호통신기술을 적용한 휴대용 라이트 라인	(주)포비드림
2019032	내구형 시선유도봉	주식회사 도시환경 (株式會社 都市環境)
2019020	충격흡수성이 우수한 수평배수형 충격흡수배수판	주식회사 에스빌드
2019027	회전형 앵커가 포함된 일체형 교량받침	삼영엠텍 주식회사
2019028	면진형 스테인리스 원통형 물탱크	주식회사 신성티앤피

지정번호	제품명	회사명
2019021	환경친화적 천연복합 인조잔디 충진재	주식회사 지에스케이
2019107	단열성과 구조안정성이 우수한 커튼월	안산건업 주식회사
2019087	3단 일체형 CCTV 지주	주식회사 태정이엔지
2019100	연결구를 이용한 무단횡단금지 차선분리대	세이프라인 주식회사
2019095	폴리에틸렌이중벽구조하수관	(주)월드케미칼
2019115	체결모듈과 확장바를 구비하여 설치자유도 및 안정성을 향상시킨 조립식 봉안단	주식회사 지산비엠피
2019114	철근콘크리트 밴드가 설치된 STS 물탱크 - 10,000톤 이하(매설형/노출형/도류벽/PP방수시트)	주식회사 정희
2019112	복합소재 확장인도	주식회사 신승이앤씨
2019108	층간변위 흡수형 단열창호	주식회사 중앙알텍
2019089	다기능 통합지주	(주)한길엔지니어링
2019090	복합 항알칼리제를 이용하여 백화 및 부식현상을 방지한 환경생태블록	석성기업(주)
2019110	승하강식 내진조명타워	주식회사 천일
2019106	창문이 창문틀을 수평 이탈하여 주행하는 PUSH&PULL 개폐 방식의 단열미서기시스템창	(주)신창산업
2019113	비배수형 교량용 신축이음장치	유니슨에이치케이알 주식회사
2019109	직립성과 인발력, 배수성이 우수한 인조잔디	주식회사 대원그린
2019099	충격흡수형 운동용매트	주식회사 스포트리
2019104	패시브 커튼월	주식회사 유니크시스템
2019102	일체형 접이식 안전난간 및 옥외피난계단	주식회사 파인디앤씨
2019103	흡음통로를 구비한 탄화목 투명방음판	주식회사 에코프랜
2019105	자력 승강 기밀시스템 미서기창	주식회사 유진시스템
2019093	웨이브형 스테인리스 물탱크	(주)대명에스이산업
2019101	탑승자 보호 성능을 향상시키는 충격흡수기능을 구비한 차량방호울타리	신우정공 주식회사
2019098	천연 규조토를 적용한 기능성 페인트	주식회사 홍성이엔지
2019096	F2B GRID	주식회사 에프투비
2019092	개폐 및 오물수거가 용이한 스틸그레이팅 우수받이	주식회사 신화엘아이디
2019091	3D 입체표면의 다기능성 디자인 블록	한림로덱스 주식회사
2019094	스테인리스 물탱크	주식회사 청우테크
2019097	콘크리트 표면 칼라 침투식 바닥재	주식회사 우리산업개발
2019111	조임축과 너트체 구조로 분리결합기술을 적용한 잠금맨홀뚜껑	주식회사 기남금속
2019195	일체형 조립식 파라솔(퍼걸러)	주식회사 토크방
2019191	안전성이 강화된 데크시스템	주식회사 알티스멀티
2019194	가로대 처짐 방지구조 및 절연안전성이 개선된 교통시설물 철주	주식회사 청산피엘
2019193	장력유지장치 및 내부체결구조를 갖는 종합폴	주식회사 성지산업
2019174	난연성이 우수한 폴리우레탄 폼 JY그린보드	주식회사 정우산업
2019176	구조 보강형 단열 커튼월	주식회사 지엠
2019173	알루미늄천장용판넬	주식회사 명신기업
2019185	시트형 탄성포장재	주식회사 폴리원
2019197	코르크바닥재	주식회사 코르크로
2019189	회전 앵커 분절식 교량이음장치	매이크앤 주식회사(MAKEAND)

지정번호	제품명	회사명
2019175	승강시스템 미서기안전창	주식회사 유니크시스템
2019172	네추럴 파이프 스톤	(주)삼이씨앤지
2019182	폴리우레아 피복 소켓일체형 파형강관	대왕철강 주식회사
2019181	키토산 세라믹 PE3층 피복강관	성은종합철강 주식회사
2019188	유지보수가 용이한 전단보강 교량받침	(주)부흥시스템
2019190	이물질 방지판이 구비된 신축이음장치	진형건설 주식회사
2019187	플라스틱 베어링블록 조립체 및 이를 이용한 면진장치	(주)에스코알티에스
2019196	콘크리트 누설 방지형 데크 플레이트	주식회사 디앤에프
2019179	볼트조립식 PDF 저수조	주식회사 피엘테크코리아
2019184	고기능성 미끄럼방지포장재	주식회사 새론테크
2019180	유무기 복합 강화 폴리우레탄 PE 3층 피복강관	웰텍(주)
2019177	열전도 차단을 통한 에너지 절약형 커튼월	금강창호기공주식회사
2019183	수계 쿨루프차열 도막방수재	주식회사 어반솔루션코리아
2019192	상하진동 절감 조립식 확장보도	(주)에이치앤디건설
2019178	이탈방지 도어 화장실 칸막이	주식회사 하우진
2019171	식생 사각 상자형 돌망태	주식회사 와이즈이앤지
2019186	이음매 접합부를 갖는 시트형 탄성포장재	주식회사 플러버
2019238	면진기능형 조립식맨홀	화평산업 주식회사
2019237	다층플레이트 구조의 조명표지판	썬이노텍
2019234	하중지지장치를 구비한 전면(前面)교체형 투명방음판	대창이엔지(주)
2019236	무용접 조립식 도로표지판	주식회사 인프라텍
2019239	고 내식성 리브강관	(주)픽슨이앤씨
2019233	핑거형 신축이음장치(DSF)	대경산업 주식회사
2019235	자외선 차단기능을 가진 도시경관 디자인 방음판	주식회사 다롬
2019226	밴드와 연결구를 이용한 자유각 방호울타리	세이프라인 주식회사
2019230	시공성이 우수한 벽체 마감재	(주)조은데코
2019232	회전식별이 가능한 포트받침	유니슨에이치케이알 주식회사
2019227	3D 단열시스템 금속제창	(주)비룡씨에이치씨
2019228	고무가스켓과 기밀형부재를 적용하여 기밀성을 향상시킨 금속제창	주식회사 일진
2019229	태양광 발전을 포함한 일체형 지붕패널 시스템 (BIPV)	스카이패널 주식회사
2019231	분리형 2중 외벽으로 절연이 보강된 가로등주	주식회사 세광산업조명
2019269	경사홀더 일체형 메쉬를 이용한 에코블록	벽화수 주식회사
2019270	대변기	주식회사 여명테크
2019273	무기질바인더를 이용하여 투수성능과 강도를 증대시킨 무기질 투수콘크리트	이디씨라이프 주식회사
2019264	연결구를 이용한 꼬임방지 소방호스	육송 주식회사
2019266	복원력이 우수하고 솔라경광등이 부착된 차선분리대	주식회사 성일솔레드
2019265	표면개질형 기능성 첨가재를 활용한 합성수지관	신우산업(주)
2019268	경량단열블록	(주)에코지음
2019267	천연목재 데크로드시스템	(유)송원이엔지
2019272	섬유여재를 이용한 부상식 압축여과 비점오염 여과장치	블루그린링크 주식회사

지정번호	제품명	회사명
2019271	수격방지기	주식회사에스엠테크
2020047	목재 플라스틱 복합재(합성목재)	주식회사 본우드
2020041	지지력이 향상된 슬라이딩 조립형 울타리	휴인주식회사
2020044	친환경 기능성 점토벽돌	(주)상산쎄라믹
2020043	탑승자 보호 성능을 향상시키는 충격흡수기능을 구비한 차량방호울타리	신우정공 주식회사
2020045	채색 석재 조각장식품	주식회사 줌톤
2020037	인식표지, 표지주	대진기술정보(주)
2020049	내충격성과 부착성이 강화된 시트형 탄성포장재	주식회사 금강피씨씨
2020034	셀룰로오스 섬유 보강재를 통하여 내구성 및 분산성을 향상시킨 농로포장용 콘크리트 보강섬유	(주)세진산업
2020038	흡음형 방음판	신성컨트롤 주식회사
2020039	바이오 여과필터를 이용하여 총인 총질소 제거효율을 향상시킨 오수 정화장치	주식회사 조은세상
2020036	합성목재	주식회사 삼진우드
2020046	동슬래그 잔골재를 활용한 식물생장 호안블록	(주)조일콘크리트
2020033	목재 결합용 울타리 지주를 이용한 디자인형 목재 울타리	(주)케이알에코원
2020040	안전한 보행공간을 갖는 논슬립 가로수보호판	한국가로수보호(주)
2020089	트레이 일체형 단열 커튼월	주식회사 하이퍼윈도우
2020085	「다중 격실 이중 열차단 구조」 단열 커튼월	(주)선우시스
2020090	미세먼지 차단 기능을 갖는 나노섬유 방진방충망	주식회사 이소아이앤씨
2020084	LED 교통 및 안전표지판	기동안전(주)
2020091	유·무기 융합기술을 통하여 부착성능을 양상시킨 복합방수시트	합동에너지 주식회사
2020087	절연형 이중구조 철재 밸브실	삼영기술주식회사
2020093	항균, 항곰팡이 성능을 가진 벽, 천장마감재 및 실내용바닥재	동양특수목재 주식회사
2020088	유속 유지 구조의 각도 조절형 콘크리트 맨홀	동양특수콘크리트(주)
2020092	내수압 성능 및 내진성능이 향상된 고강성 iPVC 상수도관	피피아이파이프 주식회사
2020086	기존 유공관 공법의 하자를 개선한 배수블록	코스코디에스 주식회사
2020080	빗물저장(LID)형 잔디보호매트	어스그린코리아(주)
2020096	3중 구조로 된 인조잔디 시스템	주식회사 오륜스포츠
2020081	아라미드 복합수지 PE 3층 피복강관	신우종합철강 주식회사
2020082	일체형 HDPE 흡음형 방음벽	주식회사 태평양
2020083	무(無)천공 클립체결 데크로드	주식회사 임성
2020152	합성수지제창	주식회사 명가
2020156	코어재 합성목재 결합 디자인형 울타리	경동산업주식회사
2020145	롤링을 저감하며 복원성을 높인 해상부유구조물	(주)지엔씨
2020148	누수방지형 항균 상수도관	(주)고비
2020154	연결 고정구 가로등주	가로등이야기 주식회사
2020151	수로변경장치	(주)피앤아이휴먼코리아
2020153	암수탈착형 무메지 패널	케이에스씨산업 주식회사

지정번호	제품명	회사명
2020138	고강도 친환경점토벽돌	(주)선일로에스
2020150	부착방지제가 함유된 타이어 부착저감용 유화아스팔트	(주)일우피피씨
2020142	폴리아미드 융착방식으로 침수인발력이 뛰어난 무수축 인조잔디	주식회사 그린에셀
2020139	기능성 밀폐재가 구비된 금속제 창호	금산씨엔씨(주)
2020140	금속제창	주식회사 글로윈스
2020137	목재형 하이브리드 펜스	주식회사 토모우드
2020149	연결단부의 파손과 관 이탈을 방지하여 수밀성과 안정성을 향상한 보호소켓 일체형 상수도관	주식회사퍼팩트
2020143	열적안정성 및 난연성능이 우수한 폴리우레아 수지 도막방수재	주식회사 제이에스기술
2020147	오수처리시설	(주)후소엔지니어링
2020144	앵커소켓의 설치 위치 변동이 가능한 일체형 탄성받침	(주)에스코알티에스
2020141	회전수류 발생의 원통 웨이브형 STS 물탱크	한삼코라(주)
2020146	현광방지시설을 겸비한 중앙분리대용 발포합성수지제 시선유도시설물	주식회사 태평양
2020181	여과기 부착형 스테인리스 물탱크	주식회사 복주
2020172	고안정 스페리컬 받침(DSB)	대경산업 주식회사
2020183	안전성과 시공성이 향상된 구조체를 적용한 데크시스템	유한회사 스톤아트
2020162	분사식 후면 발포코팅으로 파일 직립성과 충격흡수성이 우수한 인조잔디	주식회사 유니스포텍
2020160	안전사다리	(주)한국미야마
2020184	안전강화형 가로등주	주식회사 광명라이팅
2020182	숙성황토를 이용한 환경친화 점토벽돌	(주)삼한씨원
2020164	충격흡수 및 승월방지 슬라이드형 가드레일	주식회사 국제에스티
2020242	열팽창 계수 조절을 이용한 장기내구성 개선 합성목재	경동산업주식회사
2020179	면상발열 옥외용벤치	넥스트원 주식회사
2020170	안전기술융합형 해상부유구조물	(주)혁신
2020171	부반력 저항 스페리컬 받침	(주)에스코알티에스
2021024	콘크리트-불포화 폴리에스테르 수지 복합형 사인블록	주식회사 홍우비앤티
2020165	회전형 힌지가 구비된 차선분리대	주식회사 새로운길
2020180	아녹스진동오수받이	(주)미라이후손관거
2020176	스마트 파워 시트	(주)삼성건업
2020163	이중파일사 제직기술로 지속적인 충격흡수 기능을 가진 인조잔디 시스템	주식회사 비이텍
2020175	보수성이 개선된 HRS 신축이음장치	대봉비엠텍(주)
2020241	차량방호울타리 충격흡수시설	신성컨트롤 주식회사
2020174	교량받침	매이크앤 주식회사(MAKEAND)
2020166	과회전 방지기능을 구비한 일체형 횡대의 차선분리대	정도산업 주식회사
2020185	장력유지장치를 구비한 막구조물	주식회사 더블앤
2020167	분해조립이 용이한 단열커튼월	(주)성원엔지니어링
2020177	콘크리트 누설 방지형 단열 데크플레이트	주식회사 디앤에프
2020173	회전수용 능력이 개선된 스페리칼 교량받침	대창이엔지(주)
2020168	히든벤트커튼월	(주)거광기업
2020169	패널결합 기술을 적용한 복합창호	신환경복합창주식회사
2020178	활주로형 횡단보도용 엘이디 도로표지병	(주)미라클산업
2021002	접이식 상시개방형 무턱방화문	주식회사 동광명품도어
2021020	충격분산형 Slope Spring Anchorage를 구비한	(주)부흥시스템

지정번호	제품명	회사명
	신축이음장치	
2021022	다방향 충격흡수가 가능한 모듈형 스포츠 바닥재	코스코디에스 주식회사
2021008	성능에 기초한 철도교용 스페리컬 받침	주식회사 펜타드
2021019	원터치 모듈조립의 레일결합형 금속제창	금강창호기공주식회사
2021015	잔교	주식회사 블루오션테크
2021023	누수방지형 항균 하수도관	(주)고비
2021006	전단보강 앵커가 포함된 일체형 교량받침	대창이엔지(주)
2021013	복합실란을 이용하여 내약품성 및 내구성이 우수한 세라믹코팅제	티오켐(주)
2021010	교량용 스페리컬 받침	(주)부흥시스템
2021017	탄성포스트 및 보강부재가 구비된 금속지붕패널	주식회사 중심티엔씨
2021072	오수받이	(주)뉴보텍
2021011	디자인형울타리	주식회사에이치티
2021014	다기능 미장벽돌	(주)비젼세라믹
2021016	열교 차단 포스트 및 레일 바가 구비된 금속지붕패널	주식회사 에이비엠
2021012	찹쌀 및 천연오일을 구비한 친환경 목제창호	주식회사 아이템
2021073	광촉매인 이산화티탄을 이용한 인조잔디 시스템	주식회사 이원
2021021	열 반응 접착강화필림 부착형 아스팔트 섬유보강재	주식회사 에스엔건설
2021009	마찰진자형 면진장치	유니슨에이치케이알 주식회사
2021018	탐지기능과 이탈방지 기능이 우수한 폴리에틸렌 수도관	(주)동원프라스틱
2021007	지진격리 납면진받침	주식회사 광원아이앤디
2021090	수도용 탄화섬유소 강화 폴리우레탄 도장강관 및 이형관	현대특수강(주)
2021091	액세스플로어	주식회사 에스앤와이시스템
2021076	24시간 주변환경 감응형 예측진단 태양광 광섬유 발광형표지판	주식회사 에이엘테크
2021089	차선분리대	동양이엔씨 주식회사
2021123	구조적 안정성과 시공성을 향상시킨 모듈형 데크로드 시스템	주식회사 이노스
2021082	내진 보강 구조 창호 시스템	주식회사 경원알미늄
2021088	건축용 패널시스템	주식회사 에스와이테크
2021081	기능성 창호 프레임	(주)한맥창호
2021085	하수도관 연결구	청수산업
2021079	3축 변위 측정이 가능한 강재 교량받침	삼영엠텍 주식회사
2021080	교량용 신축이음장치	웅진엔지니어링 주식회사
2021077	노면표지용 차열 융착식 테이프	대동안전 주식회사
2021078	IoT차양막	메탈크래프트 코리아 주식회사
2021083	수밀형 커튼월 프레임이 적용된 금속제창	(주)동성기업
2021087	강도와 유해물질 저감 효과가 우수한 기능성 에코스톤	주식회사 인에코
2021084	ㅠ자 형상의 기밀강화부재를 이용한 금속제창	주식회사 예광창호
2021086	PP항균방수시트	주식회사 정희
2021139	블록용 투수매트	(주)비엔씨
2021140	전단변형률 게이지가 구비된 탄성받침	아이컨 주식회사

지정번호	제품명	회사명
2021142	중력 복원식 미끌림 지진격리받침	(주)부흥시스템
2021141	곡선관통레일형 시스템창	(주)나비시스템
2021134	고무발포단열재[HIFLEX]	(주)하이코리아
2021130	고단열 플랫형 무레일 미서기 창호	(주)선우시스
2021135	탄성을 겸비한 배수판	주식회사 지에스케이
2021129	이중클립 시스템 패널	케이에스씨산업 주식회사
2021184	내진성능이 우수한 고성능 창호	주식회사 긴키테크코리아
2021128	일체형 앵커가 매설된 조립식 프리캐스트 콘크리트 암거	주식회사 금강피씨
2021137	판체 결속제를 이용한 스톤매트리스	주식회사 케이씨리버텍
2021133	수납식 관람석	에치에스테크(HSTECH)
2021131	미세먼지 차단 방진창(클라빈트)	주식회사 에프엘테크
2021237	시인성과 내구성을 향상시킨 유지보수형 하이브리드 태양광 도로표지병	주식회사 엠파이브
2021136	차열/방수 융합 폴리우레아 수지 도막방수재	한라케미칼 주식회사
2021132	조립식 관람석(AL)	주식회사 유니테크시스템
2021138	퀵클립 모듈을 이용하여 데크판재를 경사지게 체결하는 데크로드	주식회사 케이제이앤씨
2021243	STS 결로수 배출구조형 물탱크	(주)문창
2021193	슬라이딩이 가능한 금속재 내진패널	(주)디자인기린
2021190	PVC이중벽관	(주)뉴보텍
2021185	부력 자동보상 기능과 난연성능 및 미끄럼 방지 발판이 적용된 해상부유구조물 (부력관 직경 400mm~800mm)	(주)지주
2021197	보행로 안전 표지병	우광티엔씨(주)
2021244	태양광 발전 기술 및 IoT기술을 활용한 LED교통안전시설과 이를 제어할 수 있는 무선통신제어시스템 기술	주식회사 지앤아이테크
2021189	결합력 향상 및 강성보강 다중벽 하수관	주식회사 그린파이프
2021241	내마모성과 항균성이 향상된 인조잔디 시스템	주식회사 플랜에이
2021186	쐐기형 바닥판 구조와 유격방지 난간을 이용한 데크시스템	주식회사 케이엘에스
2021195	공기연행성과 내수성이 우수한 수유성 결합형 세라믹코팅제	주식회사 유인
2021187	내구성이 우수한 친환경 합성목재	주식회사 엔투하이텍
2021192	내진 기능이 우수한 외벽 구조 프레임 및 금속제패널	세종산업(주)
2021188	표면오염 방지기능이 강화된 합성목재	주식회사 지케이우드
2021194	부착성능이 우수한 폴리우레아 수지 도막 방수재	주식회사 라온피플인더스트리
2021191	고밀착성 피복 파형강관	대한강관 주식회사
2021196	물 고임방지 수로형 STS라이닝 저수조	한삼코라(주)
2022048	수분 및 온도조절 기능이 우수한 인조잔디	주식회사 지에스케이
2022054	내충격성과 열안정성이 우수한 데크로드 시스템	주식회사 백향우드
2022050	구조적 안정성을 확보한 프리스트레스 캔틸레버를 이용한 확장형 인도	주식회사 이노스
2022049	저마찰성의 피부친화 인조잔디 구조체	넥스포텍 주식회사
2022055	열융착 기술을 통하여 내구성을 향상시킨 도로표시용 시트	세움로드 주식회사

지정번호	제품명	회사명
2022039	내마모성이 우수하고 항균기능이 있는 목제문과 목제창	주식회사 우디스
2022043	천장용 내진, 불연, 흡음패널 시스템	제이엔티 주식회사
2022046	흔들림 방지장치가 적용된 수납식관람석	주식회사 유니테크 시스템
2022038	내진단열커튼월	(주)윈도우코리아
2022037	내부 고단열 고강도 커튼월	(주)대흥에프에스씨복합창
2022040	스마트 게이트(점검구문)	주식회사동인
2022042	잠금장치 구조를 통해 안전성을 향상시킨 맨홀 뚜껑	주식회사 세계주철
2022056	다중체결형 데크와 개량형 난간 포스트를 이용한 강화구조 데크 및 난간 시스템	해인실업 주식회사
2022036	결합력을 향상시킨 천연목재 데크로드 시스템	주식회사 교강산업
2022047	고탄성 고인장강도 PMMA 미끄럼방지 포장재	삼중씨엠텍(주)
2022035	강재 탄성클립을 이용한 보행데크	주식회사 알지텍
2022053	드라이 그린 점착복합시트	아하방수텍(주)
2022041	압축 코일스프링과 충격 완충장치를 이용한 낙석 방지책	(주)창광 이앤씨
2022051	철근절단방지 회전형 앵커시스템이 적용된 탄성받침	매크로드 주식회사
2022044	금속제 패널시스템	주식회사 에스와이테크
2022052	미끄럼방지 핑거형 신축이음장치	매크로드 주식회사
2022045	지지장치와 록킹장치를 이용한 수납식관람석	(주)호수산업
2022179	공기정화블록	주식회사 데코페이브
2022128	천장용 구조물	주식회사 무진기업
2022034	하·폐수 공정 감시제어를 위한 실시간 광학식 스마트센서	주식회사 유앤유
2022110	패각을 활용한 친환경 항균 인조잔디 시스템	주식회사 네오필드
2022107	유동 방지기능을 가진 기밀형 슬라이딩 금속제창	(주)동성기업
2022108	외력 완충용 가동클립을 적용한 커트시스템패널	그린원텍주식회사
2022112	유비스타 에코학당	주식회사 유창이앤씨
2022109	브라켓을 이용한 다단분리 회전형 CCTV용 금속기둥	주식회사 태양테크
2022113	이동식화장실(무방류순환수세식화장실)	주식회사 엔피알이노베이션
2022104	고강성 육각프로파일 구조 평활 하수관	(주)엠에스
2022105	천연목 질감을 구현한 기능성 합성수지덱	주식회사 필드글로벌
2022106	탈거방지가드가 구비된 하이큐브 안전방범방충망창	주식회사 창문에안전
2022111	막구조물	주식회사 엠테크
2022103	폴리에틸렌 복합시트를 적용한 수지파형강관	(주)성호철관
2022173	보온재 일체형 그린덕트	주식회사 정우산업
2022164	단열 및 내진성능을 향상시킨 에너지절약형 미서기창	(주)성원엔지니어링
2022168	고탄성 삼중벽 내충격 PVC 상하수도관	주식회사제이엔피
2022177	인조 현무암 투수성 콘크리트 블록	(주)해성기업
2022175	인조 현무암 불투수성 콘크리트 블록	(주)해성기업
2022170	수도용 카본나노튜브 PE 3층 피복강관	주성이엔지 주식회사
2022167	시공성과 내구성이 강화된 디자인형 울타리	주식회사 아키페이스
2022178	세균방지 및 생태 보 기능을 갖는 플레이트형 스톤네트 유닛	주식회사 도운
2022166	ㄷ형클립 및 스프링홀더를 이용한 이탈착식 목재 데크 시스템	주식회사 나무들
2022172	감성데크	(주)휴플러스

지정번호	제품명	회사명
2022165	스마트 내진 외장패널	(주)스마일테크
2022174	광촉매 증점 코팅기술을 이용한 NOx제거 기능을 갖는 보차도용 콘크리트블록	주식회사 아트캠
2022161	도로 표지 도료용 유리알	세라주식회사
2022171	트위스트 회전체를 구비한 튜브형 프리코팅 여과기	케이원에코텍 주식회사
2022169	수도용무용제형에폭시수지도장강관및이형관	한국종합철관 주식회사
2022176	구조건전성이 향상된 지붕패널시스템(SMT SYSTEM)	주식회사 닥스엔지니어링
2022162	내구성과 시공성이 향상된 다중체결형 데크 및 개량형 난간 시스템	주식회사 에스비데크
2022160	충격흡수패드	주식회사 대흥글로벌
2022163	결착-전개가 가능한 트럭탈부착형 충격흡수장치	주식회사 이티아이
2022224	거더 제작용 바닥 거푸집	주식회사 성현테크
2022232	레일이 없는 미서기 창호	(주)거광기업

[표] 건설·환경 우수제품 지정현황

5. 화학·섬유

1) 고집수 및 고배수 효율을 가진 날개형 수평배수재
- 회사명: 주식회사대한아이엠
- 지정번호: 2023021
- 물품분류명: 지반배수용구조재

‣ 규격모델
  - WHD-200S 등 4종

‣ 인증내역
  - 특허 실용신안(10-2257758) : 20210524~20401015
  - 성능인증(22-AGK0047) : 20220127~20250126

2) 노로-X 손세정제 거품비누형
- 회사명: 주식회사 바이오쓰리에스
- 지정번호: 2023020
- 물품분류명: 손세정제

‣ 규격모델
  - 노로-X 50mL 등 4종

‣ 인증내역
  - NEP(NEP-MOTIE-2021-108) : 20210520~20240519

3) KS M 6080 5종 상온경화형 플라스틱도료 흰색(P7-R5-RW4), 노란색(P7-R4-RW4)
- 회사명: 대화페인트공업 주식회사
- 지정번호: 2023022
- 물품분류명: 마킹페인트

‣ 규격모델
  - DHP-6080-W5P7-R5-RW4 외 1종

‣ 인증내역
  - 특허 실용신안(10-2159619) : 20200918~20400331
  - 환경마크(23924) : 20210318~20240317

4) 친환경 숯 고상 제설제

- 회사명: (주)뉴보텍
- 지정번호: 2022157
- 물품분류명: 제설제 또는 서리제거제

‣ 규격모델
- 에코-다노가 1000kg 등 3종

‣ 인증내역
- 성능인증(22-AIJ0163) : 20220421~20250420
- 환경마크(24966) : 20210823~20240822
- 특허 실용신안(10-2303968) : 20210914~20410521

5) 농약침투안전 영농작업복

- 회사명: 주식회사 비에스지
- 지정번호: 2022159
- 물품분류명: 유해물질방어의류

‣ 규격모델
- BPGM-40

-

‣ 인증내역
- 특허 실용신안(제10-1714640호) : 20170303~20360427
- 환경마크(25884) : 20220121~20241220

6) 친환경 고강도 난연 고무발포단열재(KAIFLEX)

- 회사명: 경향산업(유)
- 지정번호: 2022102
- 물품분류명: 고무발포단열재

‣ 규격모델
- KHCT-CB1 02313S 등 523종

‣ 인증내역
- 특허 실용신안(제 10-2107842호) : 20200428~20371116
- 특허 실용신안(제10-1975285 호) : 20190429~20371024
- 자가품질(제 2021-09 호) : 20210701~20240630
- 환경마크(제 14482호) : 20211014~20241013

7) 부착성이 향상된 유무기 복합방수재

- 회사명: 국제방수케미칼
- 지정번호: 2022033
- 물품분류명: 무기질도막방수재

‣ 규격모델
- 폴리그린E-20 등 4종

‣ 인증내역
- 환경마크(제24859호) : 20210810~20240809
- 성능인증(21-ADZ0323) : 20210712~20240711
- 특허 실용신안(제10-1954371호) : 20190226~20380910

8) 연소 전처리 탈황제

- 회사명: 주식회사 로우카본
- 지정번호: 2021224
- 물품분류명: 탈황제

‣ 규격모델
- GTS-106

‣ 인증내역
- 기타(혁신제품) : 20201231~20281231
- 특허(제1864999호) : 20180530~20370918

9) 일체형 친환경 제설제

- 회사명: 주식회사 하얀소금
- 지정번호: 2021226
- 물품분류명: 제설제또는서리제거제

(주)하얀소금

‣ 규격모델
- 눈길파워Z-1000 등 3종

‣ 인증내역
- 특허(제10-2220545호) : 20210219~20400911
- 환경마크(제23844호) : 20210309~20240308

10) 발수성과 투수성을 동시에 갖는 부직포

- 회사명: 길한산업(주)
- 지정번호: 2021227
- 물품분류명: 토목섬유

‣ 규격모델
- SCF200등 7종

‣ 인증내역
- 성능인증(20-ADZ0518) : 20201120~20231119
- 특허 실용신안(10-1715712) : 20170307~20360923

11) 유해동물퇴치기(야피경)

- 회사명: 주식회사 노텍바이오
- 지정번호: 2021225
- 물품분류명: 유해동물퇴치기

‣ 규격모델
- PET-02

‣ 인증내역
- 특허 실용신안(10-2088861) : 20200309~20390722
- 성능인증(21-CDZ0192) : 20210330~20240329
- 기타(GT-20-00958) : 20200921~20230920

12) 친환경 다목적 소화약제

- 회사명: 혜정산업(주)
- 지정번호: 2021116
- 물품분류명: 소화약제

‣ 규격모델
- SNOWFOAM-136 등 2종

‣ 인증내역
- 특허(제10-2143060호) : 20200804~20391204
- 성능인증(21-ADZ0130) : 20210323~20240322
- 기타(제GT-21-01108호) : 20210415~20240414

13) 소공간용자동소화용구 STICK

- 회사명: 파이어킴 주식회사
- 지정번호: 2021117
- 물품분류명: 자동소화패치

‣ 규격모델
- FSN130등 4종
‣ 인증내역
- 특허 실용신안(10-1857775) : 20180508~20361129
- 성능인증(19-AAK0001) : 20190102~20220101

14) 화학물질용보호복

- 회사명: 엠텍에스티에스 주식회사
- 지정번호: 2021071
- 물품분류명: 유해물질방어의류

M·TEC sts
TEChnology for huMan

‣ 규격모델
- GuardWear 5000, GuardWear 4500, GuardWear 4000
‣ 인증내역
- 특허(제10-1724038호) : 20170331~20231017
- 성능인증(19-ADI0345) : 20190703~20220702

15) 친환경 종이빨대

- 회사명: 주식회사 민영제지
- 지정번호: 2021003
- 물품분류명: 일회용빨대

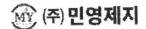

‣ 규격모델
- MYWH006 등 3종
‣ 인증내역
- 특허(제10-2029237호) : 20190930~20390111
- 기타(혁신시제품 테스트 결과보고서) : 20201230~20281231
- 기타(혁신시제품 테스트 결과보고서) : 20201230~20281231
- 기타(혁신시제품 테스트 결과보고서) : 20201230~20281231

16) 고상제설제

- 회사명: 주식회사 제이엠디피
- 지정번호: 2020032
- 물품분류명: 제설제또는서리제거제

- ‣ 규격모델
  - 퍼펙트멜터JD-200(1000kg) 등 2종
- ‣ 인증내역
  - 성능인증(19-ADL0394) : 20190802~20220801
  - 환경마크(제 18763 호) : 20180718~20200717
  - 특허(제10-2008957호) : 20190802~20390321

17) 유연성 및 내환경성이 향상된 정보관리 기능을 내장한 인쇄물

- 회사명: 주식회사 스톰앤
- 지정번호: 2019274
- 물품분류명: 프린터라벨

- ‣ 규격모델
  - STN-S-001포함 18종
- ‣ 인증내역
  - 특허 실용신안(10-1941872) : 20190118~20380817
  - 성능인증(19-GDD0410) : 20190503~20220502

18) 불가사리 유래 다공성 구조체를 활용한 저부식성 친환경 고상 제설제

- 회사명: 주식회사 스타스테크
- 지정번호: 2019157
- 물품분류명: 제설제또는서리제거제

- ‣ 규격모델
  - ECO-ST1(25), ECO-ST1(1000)
- ‣ 인증내역
  - 특허(10-1903171) : 20180123~20380123
  - 환경마크(18960) : 20180903~20200902
  - 성능인증(27-461) : 20190227~20220226

19) 자동소화패치(소공간용소화용구)

- 회사명: 창창한 주식회사
- 지정번호: 2019131
- 물품분류명: 자동소화패치

‣ 규격모델
- KTL B 257(mini-40,mini-120,mini-360)

‣ 인증내역
- K마크(PB12018-196) : 20181004~20211003

20) 복합탈취제

- 회사명: (주)한국환경기술
- 지정번호: 2018234
- 물품분류명: 탈취제

‣ 규격모델
- 바이오매직-플러스 K-BL 20L

‣ 인증내역
- 특허(1744023) : 20170531~20360831
- K마크(PM12018-197) : 20181004~20211003
- 환경마크(제18035호) : 20180110~20200109

6. 과기·의료

1) 심폐소생술 교육용마네킹

- 회사명: 주식회사베스트씨피알
- 지정번호: 2017132
- 물품분류명: 의료교육자료

‣ 규격모델
- Nurugo L330

‣ 인증내역
- 특허(제1605383호) : 20160316~20351104
- 성능인증(제15-1561호) : 20170705~20200704

2) 혼합냉매와 이중구리관을 적용한 초저온 냉동고

- 회사명: 주식회사 지엠에스
- 지정번호: 2015176
- 물품분류명: 실험실용초저온냉동고

‣ 규격모델
- ULT-765L 등 4종

‣ 인증내역
- NEP(NEP-MOTIE-2015-027) : 20150901~20180831
- 특허(제1438155호) : 20140829~20340521

7. 사무기기

1) 스툴의자
- 회사명: 체어마이스터 주식회사
- 지정번호: 2023055
- 물품분류명: 스툴의자

‣ 규격모델
  • CMK-099
‣ 인증내역
  • 특허 실용신안(10-1930837) : 20181213~20370801
  • 환경마크(25592) : 20211116~20241115

2) 충격완화 기능으로 소음 및 바닥손상방지 기능을 구비한이동식스툴테이블
- 회사명: (주)하나로오에이퍼니처
- 지정번호: 2023052
- 물품분류명: 이동식스툴테이블

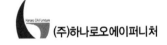

‣ 규격모델
  • H1200-1 등 12 종,
‣ 인증내역
  • 특허 실용신안(10-2366938) : 20220221~20410526
  • 특허 실용신안(10-2120595) : 20200602~20391024
  • 환경마크(제9152호) : 20211206~20241129

3) 안전사물함
- 회사명: (주)우드메탈
- 지정번호: 2023051
- 물품분류명: 로커

‣ 규격모델
  • TWSL-021R등 17종
‣ 인증내역
  • 특허 실용신안(10-2417071) : 20220630~20420124
  • 자가품질(2021-71) : 20210101~20241231

4) 보강체결구조 테이블

- 회사명: 주식회사 아모스아인스가구
- 지정번호: 2023054
- 물품분류명: 식탁

‣ 규격모델
- A6aDT-880H 등 14종
‣ 인증내역
- 특허 실용신안(10-1997755) : 20190702~20300115
- 자가품질(2020-11) : 20200701~20230630

5) 문서세단기

- 회사명: 제이어스테크 주식회사
- 지정번호: 2023053
- 물품분류명: 문서세단기및보조용품

‣ 규격모델
- JUS-2788JN 등 54 종
‣ 인증내역
- 성능인증(23-ABI0015) : 20230125~20260124
- 특허 실용신안(10-2452104) : 20221004~20420408

6) 이동식서가

- 회사명: (주)동성오에이
- 지정번호: 2023050
- 물품분류명: 이동식서가

‣ 규격모델
- ES650BDMG 등 32종, 추가선택품목 P-007G 등 16종
‣ 인증내역
- 특허 실용신안(제10-2479766호) : 20221216~20420103
- 환경마크(제28158호) : 20221213~20251212
- 특허 실용신안(제10-1823864호) : 20180125~20370414

7) 수강용탁자

- 회사명: 주식회사대우가구
- 지정번호: 2022204
- 물품분류명: 수강용탁자

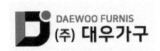

‣ 규격모델
  - DWNTA70C 등 6종
‣ 인증내역
  - 특허 실용신안(제10-2223541) : 20210226~20400320
  - 자가품질(제2020-48호) : 20210101~20231231

8) 이동식서가

- 회사명: 피아산업(주)
- 지정번호: 2022205
- 물품분류명: 이동식서가

‣ 규격모델
  - PBHM-4SF6 등 78 종
‣ 인증내역
  - 특허 실용신안(10-2005503) : 20190724~20390429
  - 특허 실용신안(10-1754601) : 20170630~20370424
  - K마크(PC12022-247) : 20221018~20240422
  - 환경마크(제7526호) : 20220329~20250328

9) 가압형 커넥터가 구비된 블럭형 패널

- 회사명: 주식회사 위노스
- 지정번호: 2022135
- 물품분류명: 패널시스템용칸막이

‣ 규격모델
  - EPA0060R2 등 204종
‣ 인증내역
  - 특허 실용신안(10-2110359) : 20200507~20310906
  - 특허 실용신안(10-2050979) : 20191126~20320607
  - 자가품질(2021-72) : 20220101~20241231

10) 필로 테이블
- 회사명: (주)베스툴
- 지정번호: 2022134
- 물품분류명: 회의용탁자

‣ 규격모델
- BPCPHT16A 등 20종
‣ 인증내역
- 특허 실용신안(10-2187805) : 20201201~20400831
- 특허 실용신안(10-2217571) : 20210215~20400831
- 환경마크(24887) : 20210810~20240809

11) 멀티 스토리지
- 회사명: 주식회사 위노스
- 지정번호: 2022138
- 물품분류명: 실험실용보관장또는보조용품

‣ 규격모델
- WP1003LS 등 2종
‣ 인증내역
- 특허 실용신안(10-2163986) : 20201005~20301026
- 특허 실용신안(10-2247735) : 20210428~20311125
- 자가품질(2019-25) : 20191001~20220930
- 자가품질(2020-38) : 20201001~20230930

12) 다용도 멀티테이블
- 회사명: 주식회사 위노스
- 지정번호: 2022136
- 물품분류명: 책상

‣ 규격모델
- WP1001DE 등 18종
‣ 인증내역
- 특허 실용신안(제10-2291599호) : 20210812~20310906
- 특허 실용신안(제10-2163986호) : 20201005~20301026
- 자가품질(제2019-71호) : 20200101~20221231
- 자가품질(제2020-12호) : 20200701~20230630

13) 속도 조절이 가능하고 스툴 제자리 회동이 가능한 이동식 스툴 테이블

- 회사명: 서우산업 주식회사
- 지정번호: 2022137
- 물품분류명: 이동식스툴테이블

‣ 규격모델
- sw251-0외 7종
‣ 인증내역
- 특허 실용신안(102120289) : 20200602~20390704
- 특허 실용신안(102245146) : 20210421~20401216
- 환경마크(26347) : 20220228~20250227

14) 사물함

- 회사명: 주식회사 투템디자인
- 지정번호: 2022139
- 물품분류명: 로커

‣ 규격모델
- ECLCU-4492 등 48종
‣ 인증내역
- 특허 실용신안(제10-2340093호) : 20211213~20311215
- 특허 실용신안(제10-2337827호) : 20211206~20311215
- 자가품질(제2021-52호) : 20220101~20241231

15) 테이블

- 회사명: 주식회사 투템디자인
- 지정번호: 2022141
- 물품분류명: 책상

‣ 규격모델
- STFSD1280 등 6종
‣ 인증내역
- 특허 실용신안(제10-2010554호) : 20190807~20390213
- 환경마크(제20866호) : 20211012~20241006

16) 높이 조절형 멀티 테이블

- 회사명: (주)우드메탈
- 지정번호: 2022142
- 물품분류명: 책상

‣ 규격모델
- TWD-208 등 16종
‣ 인증내역
- 자가품질(2021-71) : 20220101~20241231
- 환경마크(10023) : 20200928~20230919
- 특허 실용신안(10-1731357) : 20170424~20370221

17) 등받이의 높이조절 장치 수단을 갖는 사무용 의자

- 회사명: 어넥스
- 지정번호: 2022140
- 물품분류명: 접이식의자

‣ 규격모델
- 561×586×881(PP-VL-TW10) 등 24종
‣ 인증내역
- 특허 실용신안(10-2168844) : 20201016~20400609
- 환경마크(25863) : 20211220~20241219

18) 작업용의자

- 회사명: 주식회사 하라테크
- 지정번호: 2022083
- 물품분류명: 작업용의자

‣ 규격모델
- KR06-DTL1 등 4종
‣ 인증내역
- 특허 실용신안(제10-2095527호) : 20200325~20380614
- K마크(PG12021-204) : 20210927~20231124

19) 작업용의자

- 회사명: 주식회사 코아스
- 지정번호: 2022084ㅍ
- 물품분류명: 작업용의자

‣ 규격모델
  • PTCNP2005 등 40종
‣ 인증내역
  • 특허 실용신안(10-2183793) : 20201123~20400717
  • 자가품질(2019-13) : 20190628~20220627

20) 내구성이 강화된 테이블

- 회사명: 주식회사 오넥트
- 지정번호: 2022080
- 물품분류명: 책상

‣ 규격모델
  • OR-12 등 8종
‣ 인증내역
  • 환경마크(제 26306 호) : 20220222~20250221
  • 특허 실용신안(제10-2091383호) : 20200320~20391212

21) 디지털잠금장치가구(이동식 서랍 및 책상)

- 회사명: 주식회사 영신에프앤에스
- 지정번호: 2022085
- 물품분류명: 이동형파일서랍

(주)영신에프앤에스

‣ 규격모델
  • YST6103S2 등 3종
‣ 인증내역
  • 특허 실용신안(10-2133349) : 20200707~20391104
  • 성능인증(21-AHZ0141) : 20210329~20240328

22) 사물함

- 회사명: (주)야흥금속
- 지정번호: 2022081
- 물품분류명: 로커

‣ 규격모델
  - YHSL-101등80종
‣ 인증내역
  - 환경마크(24781) : 20210727~20240726
  - 특허 실용신안(2348279) : 20220104~20410826

23) 높이 확장 및 축소가 용이한 파티션

- 회사명: 주식회사 제니시스
- 지정번호: 2022082
- 물품분류명: 패널시스템용칸막이

‣ 규격모델
  - GPK060 등 35종
‣ 인증내역
  - 특허 실용신안(10-2111949호) : 20200512~20400205
  - 환경마크(23451호) : 20201231~20231230

24) 확장 결합 및 연결이 가능한 책상

- 회사명: (주)베스툴
- 지정번호: 2022143
- 물품분류명: 수강용탁자

‣ 규격모델
  - BPMCLT06 등 2종
‣ 인증내역
  - 특허 실용신안(10-2154574) : 20200904~20400716
  - 특허 실용신안(10-2161558) : 20200924~20400716
  - 환경마크(21421) : 20220228~20250113

25) 정보보호필터

- 회사명: (주)아이가드
- 지정번호: 2022015
- 물품분류명: 컴퓨터용보안기

‣ 규격모델
  • SVNF24등8종
‣ 인증내역
  • NEP(NEP-MOTIE-2021-141) : 20211207~20241206

26) 문서세단기

- 회사명: 주식회사 세돌이
- 지정번호: 2022127
- 물품분류명: 문서세단기및보조용품

‣ 규격모델
  • EO-2700A 등 21종
‣ 인증내역
  • 환경마크(22622) : 20200811~20230810
  • 성능인증(21-AEI0572) : 20211208~20241207
  • 특허 실용신안(10-2226030) : 20210304~20400909
  • 특허 실용신안(10-2226029) : 20210304~20400909

27) 분리형 도어패널을 구비한 파티션

- 회사명: 주식회사 코아스
- 지정번호: 2022014
- 물품분류명: 패널시스템용칸막이

‣ 규격모델
  • PNBK2R0610등 80종
‣ 인증내역
  • 특허 실용신안(10-2190737) : 20201208~20401014
  • 특허 실용신안(10-2225826) : 20210304~20400824
  • 자가품질(2019-13) : 20190628~20220627

28) 높이조절장치가 구비된 전도방지용 시스템 수납가구

- 회사명: 주식회사 투템디자인
- 지정번호: 2022012
- 물품분류명: 캐비닛

‣ 규격모델
  - EFCDU-6471 등 9종
‣ 인증내역
  - 특허 실용신안(제10-2249472호) : 20210430~20310830
  - 특허 실용신안(제10-1900231호) : 20180913~20311201
  - 자가품질(제2021-52호) : 20220101~20241231

29) 침대, 식탁

- 회사명: 주식회사 포머스
- 지정번호: 2022013
- 물품분류명: 침대

‣ 규격모델
  - DYBED-EP1 등 4종
‣ 인증내역
  - 특허 실용신안(2076942) : 20200206~20280202
  - 자가품질(2020-40) : 20201001~20230930
  - 자가품질(2019-32) : 20191001~20220930

30) 이동식스툴테이블

- 회사명: (주)파트라
- 지정번호: 2022016
- 물품분류명: 이동식스툴테이블

‣ 규격모델
  - T9212FN 등 16 종
‣ 인증내역
  - 환경마크(제25846호) : 20211216~20241215
  - 특허 실용신안(제10-2092778호) : 20200318~20391230

지정번호	제품명	회사명
2017088	좌판 폴딩이 가능한 접이식 의자	(주)베스툴

지정번호	제품명	회사명
2017086	연결식의자	일진시팅 주식회사
2017089	이동식서가	피아산업(주)
2017082	의자	주식회사 위노스
2017087	책상	주식회사 아모스아인스가구
2017083	작업용 의자	(주)파트라
2017081	수납가구	주식회사 위노스
2017080	OA칸막이	주식회사 플랜맥스
2017150	난연·방습성 사물함	주식회사진성아스타
2017153	접철식 테이블	주식회사 아모스아인스가구
2017154	사물함	튼튼기업
2017185	패널 결합용 클립이 구비된 사무용 칸막이	(주)세계로
2017181	책상	주식회사 오넥트
2017184	스마트오피스 데스크	주식회사 아모스아인스가구
2017187	고정식 연결의자	주식회사 삼광엔시팅
2017186	학생용 책상 및 의자	미래산업
2017190	인화성물질 보관함	(주)제이오텍
2018007	내구성이 강화된 접이식의자	주식회사 씨.월드
2018004	슬로우 폴딩 체어	(주)신양씨앤에스
2018006	연결의자	스마트시팅 주식회사
2018070	실험대	광동산업 주식회사
2018069	투입감지센서 자동감도조절과 세단성능유지 기능이 향상된 문서세단기	주식회사대진코스탈
2018073	OA칸막이	주식회사 코아스
2018074	접이식의자	주식회사 코아스
2018067	솔리드테이블	주식회사 아모스아인스가구
2018066	사물함	주식회사 크로바가구
2018065	침대	주식회사 크로바가구
2018064	사물함	주식회사 오넥트
2018071	라운지용의자	(주)파트라
2018141	실험대	(주) 코아테크 코리아
2018068	캐비닛	(주)우드메탈
2018135	절첩식 테이블	주식회사 스토즈
2018138	허리지지부의 곡률조절이 가능한 등받이가 구비된 사무용의자	어넥스
2018140	책상	주식회사 코아스
2018217	문서세단기	주식회사 정신
2018216	전도방지장치가 구비된 수납가구	주식회사 오넥트
2018220	수납가구(캐비닛, 사물함)	주식회사 포머스
2018221	수강용 테이블(탁자)	주식회사 포머스
2018219	멀티 수납용 가구	주식회사 아모스아인스가구
2018214	수장고용수납장	(주)에스케이엘엠스
2018215	캐비닛	주식회사 코아스
2018218	침대	영남강철 주식회사
2019044	사무용칸막이	뷰로맥스주식회사
2019042	실험정보 관리 기능을 구비한 스마트 실험대	주식회사 지티사이언

지정번호	제품명	회사명
2019043	침대	(주)거성산업
2019047	이동형파일서랍	(주)우드메탈
2019046	접이식의자	(주)파트라
2019045	이지체어	주식회사 아모스아인스가구
2019130	삽입형 카트리지 씰과 종이시트에 의하여 보호되는 재제조 토너 카트리지	주식회사 사이클론
2019128	멀티 테이블	주식회사 코아스
2019129	OA칸막이	(주)우드메탈
2019127	멀티데스크	주식회사 아모스아인스가구
2019126	이지테이블	주식회사 아모스아인스가구
2019125	다용도 책상	주식회사 스토즈
2019155	침대	주식회사 오넥트
2019154	사무용 책상 및 테이블	주식회사 포머스
2019223	이동식서가	(주)대원모빌랙
2019220	수강용탁자	(주)파트라
2019219	수강용탁자	(주)파트라
2019224	수납가구(이동형파일서랍, 파일링캐비닛)	주식회사 포머스
2019225	수납가구(책장, 실험기구진열장)	주식회사 포머스
2019222	책장	(주)우드메탈
2019221	칸막이형 열람대	(주)우드메탈
2019275	수강용탁자	주식회사 코아스
2019276	교실용걸상	주식회사 코아스
2019278	작업용의자	주식회사 포머스
2019279	다 체형 가변 밀착 등받이 사무용의자	(주)동연디자인
2019280	실험실용배기기	광동산업 주식회사
2020030	학생용책상 및 교실용걸상	주식회사 포머스
2020029	좌판 전면 폴딩 기능을 구비한 작업용 의자	주식회사 크로바가구
2020027	절첩식테이블	주식회사 아모스아인스가구
2020026	캐비닛	주식회사 한성넥스
2020074	스마트 높이조절 책상 및 탁자	주식회사 디자인칼라스
2020073	안전 서랍장	주식회사 오피스안건사
2020075	학생용책상	주식회사 코아스
2020122	사무실칸막이	주식회사 포머스
2020125	고정식연결의자	한유씨스템 주식회사
2020128	책걸상	주식회사대우가구
2020126	3중 구조로 이루어진 독립스프링 매트리스	주식회사 젠티스
2020124	다용도테이블	티머스
2020121	매립형 살균무선충전기가 적용된 데스크	주식회사 더블엠
2020123	사물함	주식회사 한성넥스
2020127	이동식서가	(주)금강모빌랙
2020210	침대	주식회사 코아스
2020207	문서세단기	주식회사이륜
2020216	의자	주식회사 아모스아인스가구

지정번호	제품명	회사명
2020212	의자	(주)파트라
2020213	사물함	주식회사 비엠오피스퍼니처
2020208	사무실칸막이	주식회사 아모스아인스가구
2020214	체중연동형 의자	주식회사 위노스
2020215	사물함	주식회사 제니시스
2020211	사물함	바네스(vanes)
2020209	측면 내구성 및 방염이 우수한 매트리스	주식회사 금성침대
2021066	책장	주식회사 포머스
2021067	접이식의자	주식회사 포머스
2021064	틸팅 기능을 가진 항균 이동식스툴테이블	주식회사 휴코스
2021068	조립식 파티션	(주)동연디자인
2021069	사물함	티머스
2021065	침대	주식회사 한성넥스
2021114	보강체결구조 책상	주식회사 아모스아인스가구
2021115	침대	주식회사 아모스아인스가구
2021109	폴딩테이블	(주)베스툴
2021107	접이식 강의용 테이블	주식회사 투템디자인
2021113	수강용탁자	주식회사 오피스안건사
2021111	디스플레이 승하강식 컴퓨터 책상	(주)우드메탈
2021112	다규격 적용 가능한 책상 및 회의테이블	(주)동연디자인
2021110	볼캐스터가 적용된 의자	(주)베스툴
2021108	리브로서가	(주)베스툴
2021168	학생용책상 및 교실용걸상	(주)야흥금속
2021170	디지털 잠금장치 가구(캐비닛, 책장, 사물함)	주식회사 영신에프앤에스
2021169	다기능 틸트 메커니즘을 적용한 작업용 의자	(주)동연디자인
2021239	연속파쇄 시스템이 구비된 하드디스크파쇄기	주식회사대진코스탈
2021221	4단계 텐션 조절이 가능한 등판이 적용된 작업용의자	유한회사 애니체
2021220	완충장치가 적용된 연결의자	주식회사명신인퍼스
2021219	매트리스	주식회사 한성넥스
2021222	높낮이 조절이 용이하며 안전성이 극대화된 학생용 책.걸상	영남강철 주식회사

[표] 사무기기 우수제품 지정현황

8. 지능·정보

1) 산불 대응 임무용 무인이동체시스템
- 회사명: 주식회사 그리폰다이나믹스
- 지정번호: 2023023
- 물품분류명: 무인비행기

‣ 규격모델
- GD-2000FEX-SYS
‣ 인증내역
- 특허 실용신안(제10-1614117 호) : 20160414~20350904
- K마크(PC12021-248) : 20211025~20251024

2) 위험물질(화학물질 및 방사선) 탐지·분석·대응 시스템
- 회사명: 주식회사 위즈윙
- 지정번호: 2022030
- 물품분류명: 산업제어소프트웨어

‣ 규격모델
- WGCS v1.0(위험물 탐지 무인비행체 솔루션)
‣ 인증내역
- (21-0274) : 20210603~20311231

3) 드론을 활용한 방역(소독, 방제)임무장치 개발 및 서비스
- 회사명: 주식회사 천풍
- 지정번호: 2021127
- 물품분류명: 무인비행기

‣ 규격모델
- 천풍M20
‣ 인증내역
- 기타(혁신제품) : 20210422~20281231

4) 실시간 경로탐색 알고리즘 기술이 적용된 상황인지형 위치안내설비 [SIGS V1.0]

- 회사명: 주식회사 코너스
- 지정번호: 2021102
- 물품분류명: 정보통신융복합상품

‣ 규격모델
  - SIGS V1.0
‣ 인증내역
  - 성능인증(19-ACA0370) : 20190718~20220717
  - GS(18-0496) : 20181011~20281010
  - 특허(10-1640167) : 20160711~20351109
  - 특허(10-1638397) : 20160705~20340821

5) 다목적 소형 Kn드론 플랫폼

- 회사명: (주)두시텍
- 지정번호: 2021001
- 물품분류명: 무인비행기

‣ 규격모델
  - KnX
‣ 인증내역
  - 기타(혁신조달과-2660) : 20200916~20281231

6) Full HD 200만화소 CCTV 조사로봇 시스템

- 회사명: 주식회사 에코베이스
- 지정번호: 2020159
- 물품분류명: 관로조사용촬영장비

‣ 규격모델
  - ECO-ROBOT 2.0
‣ 인증내역
  - 기타(혁신시제품 테스트 결과 보고서) : 20200916~20210916

7) 금속3D프린터

- 회사명: 주식회사 미래인
- 지정번호: 2020158
- 물품분류명: 3차원프린터

‣ 규격모델
- David 1.0
‣ 인증내역
- 기타(혁신시제품테스트결과보고서) : 20200701~20281231

8) 듀오드론

- 회사명: 주식회사 어스앤에어로스페이스
- 지정번호: 2020094
- 물품분류명: 무인비행기

‣ 규격모델
- DuoDrone-VM
‣ 인증내역
- 특허(10-1772224) : 20170822~20361230
- 특허(1883986) : 20180725~20360729
- 기타(2018059005) : 20190523~20390523

9) 드론

- 회사명: (주)네스앤텍
- 지정번호: 2018223
- 물품분류명: 무인비행기

‣ 규격모델
- SWID 외 2종
‣ 인증내역
- 기타(KRTC-1805-A0367) : 20180524~20281231
- 기타(KRTC-1706-A0383) : 20170601~20281231
- 기타(0000) : 20180928~20281231
- 기타(0000) : 20180928~20281231
- 기타(0000) : 20181002~20281231
- 기타(0000) : 20170607~20281231

Special Report

V. 우수제품지정제도 관련인증

V. 우수제품지정제도 관련인증

1) 신제품 (NEP : New Excellent Product)[14]

신제품인증(NEP: New Excellent Product) 제도는 국내에서 최초로 개발된 기술 또는 이에 준하는 대체기술로 기존의 기술을 혁신적으로 개선, 개량한 신기술이 적용된 제품을 정부가 인증하고, 제품의 초기 판로지원 및 기술개발의 촉진을 목적으로 함

① 인증대상
- 국내에서 최초로 개발된 기술 또는 이에 준하는 대체기술로서 기존의 기술을 혁신적으로 개선·개량한 우수한 기술을 핵심 기술로 적용하여 실용화가 완료된 제품 중 성능과 품질이 우수한 제품

② 인증기준
- 신청제품의 핵심기술이 국내에서 최초로 개발된 기술 또는 이에 준하는 대체기술로서 기존의 기술을 혁신적으로 개선·개량한 신기술일 것
- 신청제품의 성능과 품질이 같은 종류의 다른 제품과 비교하여 뛰어나게 우수할 것
- 같은 품질의 제품이 지속적으로 생산될 수 있는 품질경영체제를 구축·운영하고 있을 것
- 타인의 지식재산권을 침해하지 아니할 것
- 기술적 파급 효과가 클 것
- 수출 증대 및 관련 산업에 미치는 영향 등 경제적 파급 효과가 클 것

③ 인증대상 제외품목
- 이미 국내에서 일반화된 기술을 적용한 제품
- 제품을 구성하는 핵심 부품 일체가 수입품인 제품
- 적용한 신기술이 신제품의 고유 기능과 목적을 구현하는데 필요하지 아니한 제품
- 엔지니어링기술이 주된 기술이 되는 시설
- 식품, 의약품 및 「의료기기법」제2조에 따른 의료기기
- 누구나 쉽고 간단하게 모방할 수 있는 아이디어 제품
- 과학적으로 입증되지 아니한 이론을 적용한 제품
- 그 밖에 선량한 풍속에 반하거나 공공의 질서를 해할 우려가 있는 제품

---

14) 신제품인증 한국산업기술진흥협회
 (http://www.nepmark.or.kr/sub1/sub1.asp?smenu=sub1&stitle=subtitle1_1)

④ 인증유효기간
- 3년(1회에 한하여 심사 후 3년 연장가능)

⑤ 연장대상
- 유효기간 연장을 신청한 신제품이 신제품 인증 당시의 성능과 품질을 유지하고 있을 것
- 유효기간 연장을 신청한 신제품의 성능 및 품질과 같거나 우수한 다른 제품이 제조되어 판매되고 있지 아니할 것
  ※ 연장기준은 신규 인증기준과 동일

⑥ 인증제품의 지원
- 공공기관 20% 의무구매 (산업기술혁신촉진법, 산업통상자원부)
- 공공기관 우선구매 대상 (중소벤처기업부)
- 산업기술혁신촉진법에 따라 산업기반자금 융자사업자 선정시 우대
- 기술우대보증제도 지원대상 (기술심사 면제)
- 혁신형 중소기업 기술금융지원 (국민은행, 기업은행, 산업은행, 우리은행)
- 중소기업기술혁신개발사업에 가점 (중소벤처기업부)
- 자본재공제조합의 입찰보증, 계약보증, 차약보증, 지급보증, 하자보증 우대 지원
- 신기술실용화 정부포상 대상

⑦ NEP 인증제도 배경
- 1993년 5월 21일, 개발기술의실용화촉진요령에 의거 신기술(NT)인증제도 도입
- 1995년 5월 10일, 제15회 『신경제』추진회의에서 『한국경제의 세계화를 위한 자본재산업 육성대책』을 확정하고 이대책에 기계류, 부품, 소재(이하 '자본재')에 대한 품질인증제도를 기술표준원에서 시행토록 반영
- 2006년 1월 1일, 5개부터, 7개 인증제도를 신기술(NET), 신제품(NEP) 인증으로 통합하여 과학기술부와 산업자원부에서 주도하여 운영
- 2008년 2월 29일부터 신기술(NET), 신제품(NEP)인증을 산업통상자원부에서 총괄운영

⑧ 법적근거 : 「산업기술혁신 촉진법」제15조의2

제15조의2(신기술 인증 및 신기술적용제품 확인)

① 산업통상자원부장관은 국내에서 최초로 개발된 기술 또는 기존 기술을 혁신적으로 개선·개량한 우수한 기술을 신기술로 인증할 수 있다. <개정 2013.3.23.>

② 제1항에 따른 신기술 인증은 유효기간을 정하여 하되, 필요한 경우에는 연장할 수 있다.

③ 산업통상자원부장관은 제1항에 따라 인증된 신기술(이하 "인증신기술"이라 한다)을 실증적으로 구현 가능하게 적용한 제품을 신기술적용제품(이하 "신기술적용제품"이라 한다)으로 확인할 수 있다.

<개정 2013.3.23.>

---

④ 제1항부터 제3항까지의 규정에 따라 신기술의 인증 및 인증 유효기간의 연장 또는 신기술적용제품의 확인을 받으려는 자는 대통령령으로 정하는 바에 따라 산업통상자원부장관에게 신청하여야 한다. <개정 2013.3.23.>

⑤ 제1항부터 제4항까지의 규정에 따른 인증·확인의 기준·대상·절차 및 인증의 유효기간 등에 관하여 필요한 사항은 대통령령으로 정한다.

⑨ 문의처
- 국가기술표준원 인증산업진흥과(Tel.043-870-5501~5509)
- 한국산업기술진흥협회 인증심사팀(Tel.02-3460-9185~9188)

2) 신기술(NET : New Excellent Technology)

신기술인증(NET: New Excellent Technology) 제도는 국내 기업 및 연구기관, 대학 등에서 개발한 신기술을 조기 발굴하여 그 우수성을 인증함으로써 개발된 신기술의 사용화를 촉진시키고, 신기술이 적용된 제품에 대한 신뢰도를 제고하여 구매력을 창출하고 이를 통한 초기 시장진출 기반을 조성함을 목적으로 하고 있다.

① 인증대상
- 이론으로 정립된 기술을 시작품 등으로 제작하여 시험 또는 운영함으로써 정량적 평가지표를 확보한 개발완료 기술로서 신청일 기준으로 향후 2년 이내에 상용화가 가능한 기술
- 실증화 시험을 통하여 정량적 평가지표를 확보한 개발완료기술로서 향후 기존 제품의 성능을 현저히 개선시킬 수 있는 기술
- 제품의 생산성이나 품질을 향후 현저히 향상시킬 수 있는 공정기술

② 인증유효기간
- 공고일로부터 3년 이내(3년의 범위 내에서 연장 가능)

③ 인증의 지원
- 신기술인증(NET)을 획득한 경우 국가 및 공공기관의 구매지원, 자금지원, 기술지도 등의 다양한 지원을 받을 수 있다.

구분	내용
국가 및 공공기관 구매지원	국가를 당사자로 하는 계약에 관한 법률 시행령 제26조 제1항 제7호 사목에 따라 신기술 제품의 수의계약의 지원이 가능하며, 국가기관 및 공공기관에 우선구매 추천이 가능함
기술지도 등	지식경제부 국가기술개발사업에 신기술인증(NET)을 획득한 업체가 지원하는 경우 가산점을 부여하는 등의 기술지도 및 국내외 품질인증의 획득을 지원하고, 해외기술정보의 알선·제공 또는 보유기술정보의 무상제공, 연구시설·장비의 이용지원이 이루어짐
자금지원	기술개발자금, 중소기업창업 및 진흥기금, 정보통신진흥기금 등 기술개발촉진법 시행령 제11조에 따른 자금지원의 요청이 가능함
신기술기업협의회(NET클럽) 운영	기술분야별 소그룹 활동을 통한 기술경영정보 및 의견교류가 가능하도록 공동 연구개발 알선 및 장례세미나를 개최함

[표] 신기술 인증지원

④ 법적근거 : 「산업기술혁신 촉진법」제15조의2 (위 신제품(NEP) 법적근거 참고)

⑤ 문의처
- 산업통상자원부 국가기술표준원 인증산업진흥과(Tel. 043-870-5509)
- 한국산업기술진흥협회 시상인증단(Tel. 02-3460-9022~4)

3) 환경신기술[15]

환경신기술 인증은 국가에서 환경기술을 평가하여 우수한 기술에 대해서는 신기술로 인증하여 줌으로서, 기술사용자는 신기술을 믿고 사용할 수 있으며, 기술개발자는 개발된 기술을 현장에 신속하게 보급 할 수 있게 하여, 신기술 개발 촉진 및 환경사업 육성에 기여한다.

① 인증대상
- 「환경기술 및 환경산업 지원법」 제2조제1호에 해당하는 환경기술로 국내에서 최초 개발되었거나, 외국에서 도입한 기술의 개량에 따른 새로운 환경 분야 공법기술과 그에 관련된 기술로서 「환경기술 및 환경산업 지원법 시행령」 제18조의3 각 호에 따른 신규성 및 기술성능의 우수성과 현장적용의 우수성을 모두 갖춘 기술

---

15) 환경신기술정보시스템 (https://www.koetv.or.kr/home/index.do)

② 인증유효기간
- 인증일로부터 3년(1회에 한하여 신기술인증 5년 , 기술검증은 7년 이내 연장 가능)

③ 인·검증 혜택
- 공공환경기초시설 우선활용 지원
- 조달청 입찰심사 시 신기술 가점 적용
- 건설폐기물처리용역 적격업체심사기준에 신기술 배점 부여
- 공공시설의 신기술 실용화를 위한 장려금제·성공불제 대상
- 사업화 촉진

④ 법적근거 :「환경기술 및 환경산업 지원법」제7조

제7조(신기술인증과 기술검증)

① 환경부장관은 다음 각 호의 기술에 대하여 신기술인증을 신청받은 때에는 그 기술이 기존의 기술과 비교하여 신규성과 우수성이 있다고 평가하여 인증한 기술(이하 "신기술"이라 한다)이면 신기술인증을 할 수 있다.

1. 국내에서 최초로 개발된 환경 분야 공법기술과 그에 관련된 기술

2. 도입한 기술의 개량에 따른 새로운 환경 분야 공법기술과 그에 관련된 기술

② 환경부장관은 다음 각 호의 기술에 대하여 기술검증을 신청받은 때에는 현장평가 등을 통하여 그 성능이 검증된 기술(이하 "검증기술"이라 한다)이면 기술검증을 할 수 있다.

1. 제1항에 따라 신기술인증을 받은 신기술

2. 제7조의2제3항 각 호의 기관에서 설치한 환경시설에 적용되는 기술의 성공 여부 판단을 위하여 기술검증을 신청한 기술

③ 환경부장관은 제1항에 따라 신기술인증을 한 때에는 신기술인증서를, 제2항에 따라 기술검증을 한 때에는 기술검증서를 각각 발급하여야 한다.

④ 환경부장관은 제1항 또는 제2항에 따라 신기술인증이나 기술검증을 신청하는 자에게 환경부령으로 정하는 바에 따라 신청한 기술을 평가하는 데에 드는 비용을 부담하게 할 수 있다.

⑤ 재원운영자는 신기술인증과 기술검증을 촉진하고 신기술의 보급을 지원하기 위하여 다음 각 호의 어느 하나에 해당하는 자에게 신기술인증, 기술검증, 시범사업 및 환경기술 실용화에 드는 비용의 전부나 일부를 제6조제3항 각 호의 재원에서 우선 지원할 수 있다.

1. 대통령령으로 정하는 기준에 해당하는 중소기업으로서 신기술인증이나 기술검증을 받는 자

2. 신기술인증이나 기술검증을 받은 환경기술의 시범사업을 하는 자

3. 신기술인증이나 기술검증을 받은 기술로서 환경부장관이 공공의 목적을 위하여 보급할 필요가 있다고 인정하는 환경기술을 실용화하는 자

⑥ 신기술인증이나 기술검증의 신청절차, 평가기준, 평가방법, 그 밖에 신기술인증이나 기술검증 등에 필요한 사항은 대통령령으로 정한다.

[전문개정 2011.4.28]

---

⑤ 문의처
- 한국환경산업기술원 기술평가팀(Tel. 02-2284-1641)

4) 보건신기술

보건신기술인증(HT: new Health Technology) 제도는 기업, 연구기관 및 대학 등에서 국내 최초로 개발된 보건신기술을 조기 발굴하여 그 우수성을 인증함으로써 인증기술의 상업화와 기술거래를 촉진하고, 각종 지운 및 신뢰성 제고를 통하여 인증기술의 초기시장 진출기반을 조성함으로써, 보건산업의 경쟁력 강화에 이바지하고 보건산업의 활성화로 국민 보건 및 삶의 질 향상에 이바지함을 목적으로 한다.

① 인증대상 : 안전성 및 유효성이 검증된 보건산업 관련 기술로서 상업화한지 1년 이내의 기술
- 이론으로 정립된 기술을 시제품 등으로 제작하여 시험 또는 운영함으로써 정량적 평가지표를 확보한 개발완료 기술로서 향후 2년 이내에 상용화가 가능한 기술
- 실증화 시험을 통하여 정량적 평가지표를 확보한 개발완료 기술로서 향후 기존 제품의 성능을 현저히 개선시킬 수 있는 기술
- 제품의 생산성이나 품질을 향후 현저히 향상시킬 수 있는 공정기술.의약품, 생명공학, 화장품, 식품.위생, 의료기기 등 보건산업분야 기술

② 인증유효기간
- 고시일로부터 5년 이내 (3년의 범위에서 연장 가능)

③ 인증의 지원
- 공공기관 우선구매 요청
- 자금 및 홍보지원

④ 법적근거 : 「보건의료기술 진흥법」 제8조

제8조(보건신기술의 인증)

① 보건복지부장관은 신기술 개발을 촉진하고 그 성과를 널리 보급하기 위하여 우수한 보건의료기술을 보건신기술로 인증할 수 있다. <개정 2010. 1. 18.>
② 보건신기술 인증을 받으려는 자는 보건복지부령으로 정하는 바에 따라 보건복지부장관에게 신청하여야 한다. <개정 2010. 1. 18.>
③ 보건복지부장관은 제2항에 따라 신청된 기술을 심사·평가하여 보건신기술로 인증하면 이를 고시하고, 보건신기술임을 인증하는 인증서를 발급하여야 한다. <개정 2010. 1. 18.>
④ 정부는 보건신기술의 제품화를 촉진하기 위하여 자금 지원 등 지원 시책을 마련하여야 한다.

---

⑤ 보건복지부장관은 제2항에 따라 보건신기술 인증을 신청하는 자에게 보건복지부령으로 정하는 바에 따라 신청한 기술을 심사·평가하는 데에 드는 비용을 부담하게 할 수 있다. <개정 2010. 1. 18.>
⑥ 제3항과 제4항에 따른 보건신기술의 인증 대상·기준·심사 및 지원 등에 관하여 필요한 사항은 대통령령으로 정한다.
⑦ 보건복지부장관은 제1항부터 제6항까지에 따른 보건신기술 인증 업무를 보건복지부령으로 정하는 바에 따라 「한국보건산업진흥원법」에 따른 한국보건산업진흥원에 위탁할 수 있다. <개정 2010. 1. 18., 2013. 7. 30.>

⑤ 문의처
- 보건복지부 보건산업진흥과(Tel. 044-202-2966)
- 한국보건산업진흥원 창업육성팀(Tel. 043-713-8137, 8156)

5) 녹색기술인증

녹색기술인증은 세계, 금융지원 등을 통해 녹색산업의 민간 산업 참여 확대 및 기술시장 산업의 신속한 성장을 유인할 필요성이 대두되어, 녹색성장 목표달성 기반을 조성하고 민간의 적극 참여를 유도하여 녹색성장정책의 실직적 성과를 창출하기 위하여 도입된 제도이다.

① 인증대상
- 온실가스 감축기술, 에너지 이용 효율화 기술, 청정생산기술, 청정에너지 기술(관련 융합기술을 포함)등 사회·경제활동의 전 과정에 걸쳐 에너지와 자원을 절약하고 효율적으로 사용하여 온실가스 및 오염물질의 배출을 최소화하는 기술

② 인증유효기간
- 발급일로부터 2년(1회에 한하여 2년 연장 가능)

③ 인증혜택
- 녹색산업 융자 자원 확대
  · 산업별 보급 융자 참여 우대
  · 중소기업정책자금융자 우선지원 및 지원한도 예외 적용
  · 수출금융지원 우대 등
- 판로·마케팅 지원
  · 정부발주공사우대
  · 공공구매·국방조달심사 우대
  · 수출 기업화 지원사업 우대
  · 조달청 MAS(다수공급자계약)우대 등

- 기술 사업화 기반 조성
 ‧ 병영특례지저업체 추천
 ‧ 녹색기술 성능검사비용 지원
 ‧ 해외기술인력 도입 우대 등
- 사업화 촉진 시스템 구축
 ‧ 국가 R&D 참여우대
 ‧ 건설‧교통 신기술 지정평가시 가정 부여
 ‧ 특허 우선심사 우대 등

④ 법적근거 : 「저탄소녹색성장기본법」 제32조

제32조(녹색기술‧녹색산업의 표준화 및 인증 등)

① 정부는 국내에서 개발되었거나 개발 중인 녹색기술‧녹색산업이 「국가표준기본법」 제3조제2호에 따른 국제표준에 부합되도록 표준화 기반을 구축하고 녹색기술‧녹색산업의 국제표준화 활동 등에 필요한 지원을 할 수 있다.

② 정부는 녹색기술‧녹색산업의 발전을 촉진하기 위하여 녹색기술, 녹색사업, 녹색제품 등에 대한 적합성 인증을 하거나 녹색전문기업 확인, 공공기관의 구매의무화 또는 기술지도 등을 할 수 있다.

③ 정부는 다음 각 호의 어느 하나에 해당하는 경우에는 제2항에 따른 적합성 인증 및 녹색전문기업 확인을 취소하여야 한다.

1. 거짓이나 그 밖의 부정한 방법으로 인증이나 확인을 받은 경우

2. 중대한 결함이 있어 인증이나 확인이 적당하지 아니하다고 인정되는 경우

④ 제1항 내지 제3항에 따른 표준화, 인증 및 취소 등에 관하여 그 밖에 필요한 사항은 대통령령으로 정한다.

---

⑤ **문의처**
- 한국산업기술진흥원 녹색인증센터 사무국(Tel. 02-6009-3981)

6) 성능인증(EPC : Excellent Performance Certification)

중소기업청 성능인증제도(EPC: Excellent Performance Certification)는 중소기업자가 개발한 기술개발 제품의 성능을 검사한 결과 당해 제품의 성능을 확보하였음을 확인‧증명하는 제도로 중소기업의 기술개발제품이나 신기술인증제품 등에 대해 성능검사를 거쳐 성능이 확인된 제품을 공공기관이 우선 구매할 수 있도록 지원

① **인증대상: 성능인증제도(EPC)는 중소기업자가 기술개발한 제품**
- 기술개발촉진법 제6조에 따라 신기술의 인증을 받은 제품
- 부품‧소매전문기업 등의 육성에 관한 특별조치법 제25조에 따라 신뢰성 인증을 받을 제품
- 산업기술혁신촉진법 제16조 제1항에 따라 신제품의 인증을 받은 제품

- 공공기관 등의 구매를 확대하기 위하여 성능인증을 할 필요가 있다고 인정하여 중소기업청 장이 고시한 제품
- 의약품(동·식물용을 포함) 미생물, 농·수산물, 총포·화약류, 사행성 제품, 비 가공제품, 식·음료품(동·식물용 포함)과 구성하는 핵심부품 일체가 수입품인 제품과 독립적으로 성 능을 발휘할 수 없는 부물 및 반제품은 제외함

② 인증유효기간
- 인증일로부터 3년(3년 내에서 연장 가능)

③ 인증의 지원
- 성능인증을 받은 제품의 공공구매 확대를 위해 공공기관 우선구매제도, 성능 보험제도 등을 운영하고 있음
- 국가계약법 시행령에 따라 성능인증을 받은 제품이 우선구매대상 기술개발제품으로 지정된 경우 수의계약을 체결할 수 있으며, 중소기업청장은 공공기관에 대하여 우선구매 대상 기술 개발제품의 구매목표비율을 중소기업물품 구매액의 10% 이상으로 하도록 요구할 수 있음
- 성능보험제도는 성능인증제품의 구매로 인한 공공기관의 손해를 배상함으로써 공공기관의 중소기업 기술개발제품 사용기피 현상을 방지하여 공공구매를 촉진하기 위한 것임

④ 법적근거 : 「중소기업제품 구매촉진 및 판로지원에 관한 법률」 제15조

제15조(중소기업제품의 성능인증)

① 중소기업청장은 산업통상자원부령으로 정한 중소기업 기술개발제품에 대하여 성능인증을 할 수 있다. <개정 2011.3.30., 2013.3.23.>

② 제1항에 따른 성능인증을 받으려는 중소기업은 중소기업청장에게 성능인증을 신청하여야 한다.

③ 중소기업청장은 제2항에 따른 성능인증 신청을 받으면 제품의 성능 차별성 검증을 위한 적합성 심 사, 공장에 대한 심사와 제품에 대한 성능검사를 하고, 성능인증 기준에 적합하면 성능인증을 하여야 한다. <개정 2011.3.30.>

④ 중소기업청장은 제3항에 따른 성능인증을 받은 중소기업이 그 성능인증 제품이나 포장·용기 및 홍보물 등에 산업통상자원부령으로 정하는 표지를 사용하게 할 수 있다. <개정 2013.3.23.>

⑤ 제3항에 따른 성능인증을 받지 아니한 자는 제4항에 따른 표지를 사용하여서는 아니 된다.

⑥ 중소기업청장은 제품의 생산 조건이나 품질에 대한 심사를 주된 업무로 하는 법인이나 단체로서 중소기업청장의 지정을 받은 자(이하 "시험연구원"이라 한다) 또는 국가기관 소속 시험기관에게 제3항 에 따른 공장에 대한 심사와 제품에 대한 성능검사를 대행하게 할 수 있다. <개정 2011.3.30.>

⑦ 중소기업청장이나 시험연구원은 성능인증을 하는 경우에는 공장에 대한 심사, 제품에 대한 성능검 사 및 성능인증의 유지·관리에 필요한 비용을 대통령령으로 정하는 바에 따라 징수할 수 있다. <개 정 2011.3.30.>

⑧ 성능인증의 절차, 성능인증 기준, 시험연구원의 지정 기준과 지정 절차, 그 밖에 필요한 사항은 산 업통상자원부령으로 정한다. <개정 2013.3.23.>

---

⑤ 문의처
- 중소벤처기업부 판로정책과(Tel. 1357)
- 중소기업 유통센터 성능인증팀(Tel. 042-712-5641~5646)

7) 우수재활용인증(GR : Good Recycled)

GR마크
우수 재활용제품 인증표시

우수재활용제품인증(GR: Good Recycled)은 국내에서 개발 ·생산된 재활용제품을 시험·분석·평가한 후 우수제품에 대하여 정부가 재활용제품의 품질·환경친화성 등을 인증함 으로써, 그동안 소비자가 외면해 오던 재활용제품의 품질을 향상시켜 소비자의 불신을 해소 및 인식개선을 통하여 수요 기반을 확충하기 위한 제도이다.

① 인증대상
- 우수재활용제품인증(GR)은 기술적 생산조건에 따라 새로이 제조하여 실용화된 제품으로 자 원의 절약과 재활용촉진에 관한 법률 시행규칙 제2조 별표1에 적합한 제품을 대상으로 하 고 있다. 다만 우수재활용제품인증에 적합한 제품이라도 단순가공 제품·재사용 제품·재자 원화가 어렵거나 2차적인 환경오염이 우려되는 등 환경친화성이 낮은 제품 및 국민생활을 해칠 우려가 있는 제품은 대상제품에서 제외 가능하다.

② 인증유효기간
- 인증일로부터 3년 (3년 단위로 연장 가능)

③ 인증의 지원
- 우수재활용제품인증(GR)을 받은 재활용제품이 환경부 장관이 공고한 제품에 해당하는 경우 공공기관 등은 우선구매하여야 하고, 친환경상품 구매촉진에 관한 법률에 따른 의무구매 대 상이 됨
- 우수재활용제품인증(GR)을 신청하는 업체가 영세중소기업임을 고려하여, 신청제품의 품질규 격·기준 제정 경비, 인증신청 및 평가수수료, 인증마크사용료 등 전액을 국고에서 지원하 며, 인증신청제품의 품질개선, 제조공정개선을 위한 기술개발지원비가 무료임
- 우수재활용제품인증(GR)을 받은 업체에 중소기업구조개선자금, 산업기반자금 또는 산업기반 기술개발사업자금 등 각종 자금지원을 하고, 정부 및 공공투자 기관 등 공공기관에 우수재 활용제품을 의무 구매 등 다양한 지원제도 및 혜택을 부여하고 있음

④ 법적근거

- 「자원의절약과 재활용촉진에 관한 법률」제33조

제33조(재활용제품의 규격 · 품질기준)
산업통상자원부장관은 환경부장관과 협의하여 재활용제품의 품목별 규격 · 품질기준을 정할 수 있다. <개정 2013. 3. 23.>

- 「산업기술혁신촉진법」제15조제2항 제6호

제15조의2(신기술 인증 및 신기술적용제품 확인)
① 산업통상자원부장관은 국내에서 최초로 개발된 기술 또는 기존 기술을 혁신적으로 개선·개량한 우수한 기술을 신기술로 인증할 수 있다. <개정 2013.3.23> ② 제1항에 따른 신기술 인증은 유효기간을 정하여 하되, 필요한 경우에는 연장할 수 있다. ③ 산업통상자원부장관은 제1항에 따라 인증된 신기술(이하 "인증신기술"이라 한다)을 실증적으로 구현 가능하게 적용한 제품을 신기술적용제품(이하 "신기술적용제품"이라 한다)으로 확인할 수 있다. <개정 2013.3.23> ④ 제1항부터 제3항까지의 규정에 따라 신기술의 인증 및 인증 유효기간의 연장 또는 신기술적용제품의 확인을 받으려는 자는 대통령령으로 정하는 바에 따라 산업통상자원부장관에게 신청하여야 한다. <개정 2013.3.23> ⑤ 제1항부터 제4항까지의 규정에 따른 인증·확인의 기준·대상·절차 및 인증의 유효기간 등에 관하여 필요한 사항은 대통령령으로 정한다.

⑤ 문의처
- 산업통상자원부 국가기술표준원 인증산업진흥과(Tel. 043-870-5502)
- 자원순환산업인증원(Tel. 043-882-6536~7)

8) 환경표지인증(환경마크) 제품

동일 용도의 제품 중 제품의 전과정 각 단계에 걸쳐 에너지 및 자원의 소비를 줄이고 오염물질의 발생을 최소화할 수 있는 제품에 환경마크를 인증하는 국가 공인제도로서, 제품의 생산, 소비 등에 있어 오염요인이 적거나 에너지 절약 등 환경보전에 기여하는 제품을 인증해 주어 그 생산과 소비를 촉진하기 위한 인센티브 제도이다.

① 인증유효기간
- 인증일로부터 2년(2년 단위로 연장 가능)

② 인증의 지원
- 공공기관에 대한 우선구매요청 등 정부주도의 홍보(환경기술개발 및 자원에 관한 법률)
- 우수제품 선정 및 구매안내(조달청)

- 정부조달구매 시 수의계약 가능
- 기업의 재무재표 평가시 가점(5%)부여(중소기업은행 등)

③ 법적근거 : 「환경기술 및 환경산업 지원법」제17조

> **제17조(환경표지의 인증)**
> ① 환경부장관은 같은 용도의 다른 제품(기기, 자재 및 환경에 영향을 미치는 서비스를 포함한다. 이하 같다)에 비하여 제품의 환경성을 개선한 경우 그 제품에 대하여 환경표지의 인증을 할 수 있다. <개정 2014. 3. 24.>
> ② 제1항에 따른 인증을 받으려는 자는 대통령령으로 정하는 바에 따라 환경부장관에게 신청하여야 한다.
> ③ 제1항에 따른 환경표지의 인증을 위한 대상 제품의 선정·폐지에 필요한 사항은 대통령령으로 정하며, 대상 제품별 인증기준은 환경부장관이 정하여 고시한다.

④ 문의처
- 한국환경산업기술원 환경표지인증 상담센터(Tel. 1577-7360)

9) K마크 인증 제품

K마크 인증제도는 공산품의 품질수준을 평가(시험, 검사)하여 인증하는 제도로서 기술개발 촉진, 품질향상과 소비자선택의 편리성 및 부실 제작, 시공으로부터 사용자 보호를 위한 제3자적인 입장에서 객관적으로 평가 인증하는 제도이다.

① 인증분야 및 품목
- 공산품에 대하여 당해 적용규격에 의한 시험·검사를 통하여 그 적합여부를 평가, 합격품에 「K마크」를 부여하며, 적용규격은 소비자가 그 적합 여부를 시험하여 품질이 동일 수준 이상으로 지속적이고 안정하게 유지될 수 있다는 것을 공학적으로 평가하여 공산품의 안전, 성능, 전자파 장애, 환경 및 생산기술 등 해당분야로 인증함
  <인증분야>
  - 공작기계·산업기계 및 설비, 부품류
  - 공조기계·시설 및 공압부품류
  - 환경장비 음식물쓰레기 감량화처리시설 등
  - 측정 및 계측기기류
  - 재료 및 구조물
  - 식품가공기계
  - 토목·건축 기자재
  - 도로교통 시설물

- 전기·전자·정보통신 및 의료기기 분야
- 일정한 품질인증기준이 없고 상품의 인지도를 높이려는 제품 및 부품 등

② 인증유효기간
- 인증일로부터 3년(3년 단위로 연장 가능)

③ 인증의 지원
- 정부의 행정정보 다기능사무기기(컴퓨터, 프린터 등) 적합성 인정
- 중소기업 진흥 및 제품구매 촉진에 관한 법률 제11조 및 단체수의 계약 운용규칙 제12조의 물량배정 기준에 배점 50~60의 혜택
- 기술신용보증기금의 기술우대보증 혜택 – 최대 10억원까지 지원
- ISO 9000/14000, QS 9000, CE마킹 등 주요 외국기관의 품질인증 서비스를 우선적으로 지원
- 국방부 조달본부 입찰 및 금융기관의 자금지원 심사시 가점 수혜
- 국가기관, 지방자치단체, 공공기관 등 구매물자의 우선구매 협조요청
- 한국산업기술시험원 독립홈페이지 (http://www.kmark.org)에 기업소개 (국내외)
- 기술개발 및 연구개발업무에 우선지원
- 한국산업기술시험원의 각종 시험 수수료 감면혜택
- 산업기술대전 참가 지원 (한정된 브스/무료)
- 조달청 우수제품 선정시 가점 수혜(30점)

④ 법적근거 : 「산업기술혁신촉진법」제41조 2항 1호

제41조(한국산업기술시험원의 설립 등)
① 기술혁신성과물의 시험·평가 및 이를 위한 기술 개발 등을 효율적으로 지원하기 위하여 한국산업기술시험원(이하 "시험원"이라 한다)을 설립한다.
② 시험원은 다음 각 호의 사업을 수행한다. <개정 2014. 5. 20.>
1. 제품의 성능·안전성 및 신뢰성 등에 대한 시험평가 및 품질인증 지원
2. 각종 설비의 안전진단 및 기술감리
3. 계측기기(計測器機)에 관한 교정검사 및 측정기술의 지원
4. 제1호부터 제3호까지의 사업과 관련한 전문인력의 양성
5. 그 밖에 시험원의 목적달성을 위하여 필요한 사업
③ 시험원에 관하여는 제38조제2항 및 제5항부터 제7항까지의 규정을 준용한다. 이 경우 "기술진흥원"은 "시험원"으로, "제3항 각 호의 사업"은 "제2항 각 호의 사업"으로 본다.

⑤ 문의처
- 한국산업기술시험원 융복합인증센터(Tel. 02-860-1360)

10) 고효율에너지기자재 인증 제품

 고효율에너지기자재 보급을 활성화하기 위하여 일정기준 이상 제품에 대하여 인증하여 주는 효율보증제도로 인증제품에 고효율기자재마크 부착과 고효율에너지기자재 인증서를 발급함

① 인증유효기간
- 발급일로부터 3년(3년 단위로 연장 가능)

② 인증의 지원
- 공공기관 고효율기자재 의무적 사용 추진
- 조달구매시 고효율제품 우선 구매
- 건출물의 에너지절약 설계기준
- 고효율기자재에 대한 자금지원
- 에너지절약시설 투자에 대한 세액공제
- 중소기업의 인증신청시 시험수수료 지원(중소기업에 한하여 연간 2회)
- 각종 보급촉진제도 운영을 통한 보급활성화

③ 법적근거 : 「에너지이용합리화법」 제22조 및 제23조

제22조(고효율에너지기자재의 인증 등)

① 산업통상자원부장관은 에너지이용의 효율성이 높아 보급을 촉진할 필요가 있는 에너지사용기자재 또는 에너지관련기자재로서 산업통상자원부령으로 정하는 기자재(이하 "고효율에너지인증대상기자재"라 한다)에 대하여 다음 각 호의 사항을 정하여 고시하여야 한다. 다만, 에너지관련기자재 중 「건축법」 제2조제1항의 건축물에 고정되어 설치·이용되는 기자재 및 「자동차관리법」 제29조제2항에 따른 자동차부품을 고효율에너지인증대상기자재로 정하려는 경우에는 국토교통부장관과 협의한 후 다음 각 호의 사항을 공동으로 정하여 고시하여야 한다. <개정 2008. 2. 29., 2013. 3. 23., 2013. 7. 30.>

1. 고효율에너지인증대상기자재의 각 기자재별 적용범위
2. 고효율에너지인증대상기자재의 인증 기준·방법 및 절차
3. 고효율에너지인증대상기자재의 성능 측정방법
4. 에너지이용의 효율성이 우수한 고효율에너지인증대상기자재(이하 "고효율에너지기자재"라 한다)의 인증 표시
5. 그 밖에 고효율에너지인증대상기자재의 관리에 필요한 사항으로서 산업통상자원부령으로 정하는 사항

② 고효율에너지인증대상기자재의 제조업자 또는 수입업자가 해당 기자재에 고효율에너지기자재의 인증 표시를 하려면 해당 에너지사용기자재 또는 에너지관련기자재가 제1항제2호에 따른 인증기준에 적합한지 여부에 대하여 산업통상자원부장관이 지정하는 시험기관(이하 "고효율시험기관"이라 한다)의 측정을 받아 산업통상자원부장관으로부터 인증을 받아야 한다. <개정 2008. 2. 29.,

2013. 3. 23., 2013. 7. 30.>

③ 제2항에 따라 고효율에너지기자재의 인증을 받으려는 자는 산업통상자원부령으로 정하는 바에 따라 산업통상자원부장관에게 인증을 신청하여야 한다. <개정 2008. 2. 29., 2013. 3. 23.>

④ 산업통상자원부장관은 제3항에 따라 신청된 고효율에너지인증대상기자재가 제1항제2호에 따른 인증기준에 적합한 경우에는 인증을 하여야 한다. <개정 2008. 2. 29., 2013. 3. 23.>

⑤ 제4항에 따라 인증을 받은 자가 아닌 자는 해당 고효율에너지인증대상기자재에 고효율에너지기자재의 인증 표시를 할 수 없다.

⑥ 산업통상자원부장관은 고효율에너지기자재의 보급을 촉진하기 위하여 필요하다고 인정하는 경우에는 제8조제1항 각 호에 따른 자에 대하여 고효율에너지기자재를 우선적으로 구매하게 하거나, 공장·사업장 및 집단주택단지 등에 대하여 고효율에너지기자재의 설치 또는 사용을 장려할 수 있다. <개정 2008. 2. 29., 2013. 3. 23.>

⑦ 제2항의 고효율시험기관으로 지정받으려는 자는 다음 각 호의 요건을 모두 갖추어 산업통상자원부령으로 정하는 바에 따라 산업통상자원부장관에게 지정 신청을 하여야 한다. <개정 2008. 2. 29., 2013. 3. 23.>

1. 다음 각 목의 어느 하나에 해당할 것

가. 국가가 설립한 시험·연구기관

나. 「특정연구기관육성법」 제2조에 따른 특정연구기관

다. 「국가표준기본법」 제23조에 따라 시험·검사기관으로 인정받은 기관

라. 가목 및 나목의 연구기관과 동등 이상의 시험능력이 있다고 산업통상자원부장관이 인정하는 기관

2. 산업통상자원부장관이 고효율에너지인증대상기자재별로 정하여 고시하는 시험설비 및 전문인력을 갖출 것

⑧ 산업통상자원부장관은 고효율에너지인증대상기자재 중 기술 수준 및 보급 정도 등을 고려하여 고효율에너지인증대상기자재로 유지할 필요성이 없다고 인정하는 기자재를 산업통상자원부령으로 정하는 기준과 절차에 따라 고효율에너지인증대상기자재에서 제외할 수 있다. <신설 2013. 7. 30.>

제23조(고효율에너지기자재의 사후관리)

① 산업통상자원부장관은 고효율에너지기자재가 제1호에 해당하는 경우에는 인증을 취소하여야 하고, 제2호에 해당하는 경우에는 인증을 취소하거나 6개월 이내의 기간을 정하여 인증을 사용하지 못하도록 명할 수 있다. <개정 2008. 2. 29., 2013. 3. 23.>

1. 거짓이나 그 밖의 부정한 방법으로 인증을 받은 경우

2. 고효율에너지기자재가 제22조제1항제2호에 따른 인증기준에 미달하는 경우

② 산업통상자원부장관은 제1항에 따라 인증이 취소된 고효율에너지기자재에 대하여 그 인증이 취소된 날부터 1년의 범위에서 산업통상자원부령으로 정하는 기간 동안 인증을 하지 아니할 수 있다. <개정 2008. 2. 29., 2013. 3. 23.>

④ **문의처**

- 에너지관리공단 효율기술실(산업건물기기 분야 Tel. 052-920-0452~5, 조명기기 분야 Tel. 052-920-0462~5)

11) GS (Good Software) 시험인증

GS인증제도는 국산 SW제품의 품질 향상을 통한 국내 SW 산업 활성화를 위해 SW산업진흥법 제13조에 의거,2001년부터 TTA(한국정보통신기술협회)SW시험인증센터가 국제표준을 준용한 한국형 평가모델에 따라 테스트를 수행하여 품질 인증기준을 통과한 SW에 인증을 부여하는 인증제도이다.

① 인증대상
- 임베디드, 패키지, 주문형, 디지털콘텐츠, 기업용, GIS, DBMS, 미들웨어, 바이오메트릭, 보안, 사무용, 시스템관리, 운영체제, 웹서비스, 유틸리티, 모델링도구, 모바일, 보안, 게임 등 SW 전 분야 제품

② 인증의 지원
- GS인증 획득업체는 신뢰성 및 인지도 향상으로 마케팅 비용 절감, 매출증대를 가져오게 되었으며 다양한 제도적 혜택을 받을 수 있음
  · 조달청 제3자단가계약 체결 및 등록
  · GS인증제품 우선구매제도 시행
  · 중소기업청 성능인증시 GS인증제품 성능검사 면제
  · 건설교통부 GIS 소프트웨어 납품시 인증 획득 의무
  · 경찰청 학사관리 전산시스템 납품시 인증 획득 의무
  · 소프트웨어 기술성 평가 면제
  · 행자부 전자문서시스템, 자료관리시스템 인증 의무
  · 교육부 교육용 소프트웨어 납품 심사시 심사 면제
  · 병역특례업체 지정 심사시 가산점 부여
  · 조달우수물품 지정 심사시 가산점 부여
  · 전자정부 기술제안서(REP) 기술평가시 GS인증제품은 가산점 부여

③ 법적근거 : 「소프트웨어산업 진흥법」제13조

> **제13조(품질인증)**
> ① 과학기술정보통신부장관은 소프트웨어의 품질확보 및 유통 촉진을 위하여 소프트웨어에 관한 품질인증을 실시할 수 있다. <개정 2013. 3. 23., 2017. 7. 26.>
> ② 과학기술정보통신부장관은 제1항에 따른 품질인증을 실시하기 위하여 인증기관을 지정할 수 있다. <개정 2013. 3. 23., 2017. 7. 26.>
> ③ 제2항에 따라 지정받은 인증기관은 소프트웨어 품질인증의 신청을 받은 경우 대통령령으로 정하는 인증기준에 맞다고 인정하면 품질인증을 하여야 한다.
> ④ 과학기술정보통신부장관은 제1항에 따라 품질인증을 받은 제품에 대하여 「중소기업제품 구매촉진 및 판로지원에 관한 법률」 제13조에 따른 공공기관의 우선구매 및 「기초연구진흥 및 기술개발지원

에 관한 법률」제4조에 따른 자금지원 등을 중앙행정기관의 장에게 요청할 수 있다. <개정 2013. 3. 23., 2017. 7. 26.>

⑤ 과학기술정보통신부장관은 제2항에 따라 인증기관으로 지정받은 자가 다음 각 호의 어느 하나에 해당하게 된 때에는 그 지정을 취소할 수 있다. <개정 2013. 3. 23., 2017. 7. 26.>

1. 거짓이나 그 밖의 부정한 방법으로 지정받은 경우
2. 대통령령으로 정하는 지정 요건에 계속하여 3개월 이상 미달한 경우
3. 인증기준에 맞지 아니한 제품에 대하여 품질인증을 한 경우

⑥ 제2항에 따른 인증기관의 지정 요건 등 소프트웨어 품질인증의 실시에 필요한 사항은 대통령령으로 정한다.

④ 문의처

- 한국산업기술시험원 소프트웨어평가센터(Tel. 02-860-1568)
- 한국정보통신기술협회(TEL. 031-724-0114 , 0130)

12) 건설신기술[16]

① 목적

- 기술개발자의 개발의욕을 고취시킴으로써 국내 건설기술의 발절을 도모하고 국가경쟁력을 제고하기 위함

② 인증대상

- 국내에서 최초로 특정 건설기술을 개발하거나 기존 건설기술을 개량한 자의 신청을 받은 기술로서 국토교통부장관이 그 기술을 평가하여 신규성·진보성 및 현장 적용성이 있을 경우 '새로운 건설기술'(신기술)로 지정·고시

③ 인증유효기간

- 지정.고시일로부터 8년 이내(1회에 한하여 3~7년의 범위 내에서 연장 가능)

④ 인증의 지원

- 기술사용료의 청구
- 신기술 우선적용 권고
- 설계반영 의무
- 시험시공의 권고
- 자금지원
- 가점부여(제한경쟁입찰 및 수의계약 보호기간 내에 있는 경우)
- 기술개발 보상

---

16) 한국건설교통신기술협회 (http://www.kcnet.or.kr/)

⑤ 법적근거 : 「건설기술진흥법」 제14조

> **제14조(신기술의 지정·활용 등)**
> ① 국토교통부장관은 국내에서 최초로 특정 건설기술을 개발하거나 기존 건설기술을 개량한 자의 신청을 받아 그 기술을 평가하여 신규성·진보성 및 현장 적용성이 있을 경우 그 기술을 새로운 건설기술(이하 "신기술"이라 한다)로 지정·고시할 수 있다.
> ② 국토교통부장관은 신기술을 개발한 자(이하 "기술개발자"라 한다)를 보호하기 위하여 필요한 경우에는 보호기간을 정하여 기술개발자가 기술사용료를 받을 수 있게 하거나 그 밖의 방법으로 보호할 수 있다.
> ③ 기술개발자는 신기술의 활용실적을 첨부하여 국토교통부장관에게 제2항에 따른 보호기간의 연장을 신청할 수 있고, 국토교통부장관은 그 신기술의 활용실적 등을 검증하여 보호기간을 연장할 수 있다. 이 경우 신기술 활용실적의 제출, 검증 및 보호기간의 연장 등에 필요한 사항은 대통령령으로 정한다.
> ④ 국토교통부장관은 발주청에 신기술과 관련된 신기술장비 등의 성능시험이나 시공방법 등의 시험시공을 권고할 수 있으며, 성능시험 및 시험시공의 결과가 우수하면 신기술의 활용·촉진을 위하여 발주청이 시행하는 건설공사에 신기술을 우선 적용하게 할 수 있다.
> ⑤ 발주청은 신기술이 기존 건설기술에 비하여 시공성 및 경제성 등의 측면에서 우수하다고 인정되는 경우 해당 신기술을 그가 시행하는 건설공사에 우선 적용하여야 한다. <신설 2015.12.29.>
> ⑥ 신기술을 적용하는 건설공사의 발주청 소속 계약사무담당자 및 설계 등 신기술 적용 관련 공사업무 담당자는 고의 또는 중대한 과실이 증명되지 아니하면 신기술 적용으로 인하여 발생한 해당 기관의 손실에 대하여는 책임을 지지 아니한다. <신설 2015.12.29.>
> ⑦ 국토교통부장관은 제2항에 따라 보호를 받는 기술개발자에게 신기술의 성능 또는 품질의 향상을 위하여 필요한 경우에는 신기술의 개선을 권고할 수 있다. <개정 2015.12.29.>
> ⑧ 제1항에 따른 신기술 평가방법 및 지정절차 등과 제2항에 따른 신기술의 보호내용, 기술사용료, 보호기간 및 활용방법 등에 관하여 필요한 사항은 대통령령으로 정한다. <개정 2015.12.29.>

⑥ **문의처**

- 국토교통부 기술정책과(Tel. 044-201-3555~6)
- 국토교통과학기술진흥원 기술인증센터(Tel. 031-389-6481~7)
※ 2016.01.06.일 폐지되어 NET로 통합됨

13) 교통신기술

① **인증대상**

- 국내에서 최초로 개발 또는 외국에서 도입하여 소화·개량한 교통기술로 국내에서 신규성, 진보성 등이 있다고 판단되고 그 기술을 보급·활용하는 것이 필요하다고 인정되는 기술로서, 이를 개발한 자(승계인 포함)가 지정을 요청한 기술

② **인증유효기간**

- 고시한날로부터 5년(1~7년의 범위내 연장 가능)

③ 법적근거 : 「국가통합교통체계효율화법」제102조 및 제103조

제102조(교통신기술의 지정ㆍ보호 등)

① 국토교통부장관은 국내에서 최초로 개발한 교통기술 또는 외국에서 도입하여 소화·개량한 기술이 국내에서 신규성·진보성 등이 있다고 판단되고 그 기술을 국가교통체계에 보급·활용할 필요가 있다고 인정되는 경우로서 그 기술을 개발한 자(이하 "기술개발자"라 한다)가 요청하는 경우에는 그 기술을 새로운 교통기술(이하 "교통신기술"이라 한다)로 지정할 수 있다. 다만, 다른 법령에 따라 신기술로 지정된 경우에는 해당 법령에서 정하는 바에 따른다. <개정 2013.3.23>

② 국토교통부장관은 제1항에 따라 지정된 교통신기술의 실용화 등에 필요한 재정적·행정적 지원을 할 수 있다. <개정 2013.3.23>

③ 국토교통부장관은 기술개발자를 보호하기 위하여 필요하다고 인정할 때에는 보호기간을 정하여 기술개발자에 대하여 교통신기술에 대한 기술 사용료를 받을 수 있도록 하거나 그 밖의 방법으로 보호할 수 있으며, 기술개발자가 보호기간의 연장을 신청하는 경우에는 해당 신기술의 활용 실적 등을 검증하여 보호기간을 연장할 수 있다. <개정2013.3.23>

④ 교통신기술의 지정, 보호 내용, 기술 사용료, 보호기간 및 활용방법 등에 관하여 필요한 사항은 대통령령으로 정한다.

제103조(교통신기술 지정의 취소)

국토교통부장관은 제102조제1항에 따라 지정된 교통신기술이 다음 각 호의 어느 하나에 해당하는 경우에는 그 지정을 취소하여야 한다. <개정 2013.3.23>

1. 거짓이나 그 밖의 부정한 방법으로 지정받은 경우
2. 해당 교통신기술의 내용에 중대한 결함이 있어 교통기술로 활용하는 것이 불가능한 경우

④ **문의처**
- 국토교통부 신교통개발과(Tel. 044-201-3822)
- 국토교통과학기술진흥원 기술인증센터(Tel. 031-389-6483)

14) 방재신기술

① **인증대상**
- 국내에서 자연저감기술을 최초로 개발하였거나 또는 외국의 기술을 도입하여 소화 개량한 기술로서, 기존기술과 비교하여 신규성 및 우수성이 인정되는 기술을 개발한 개인 및 단체

② **인증유효기간**
- 지정된 날로부터 5년(평가점수에 따라 3년~7년의 범위내 연장 가능)

③ 법적근거 : 「자연재해대책법」 제61조

제61조(방재신기술의 지정·활용 등)

① 정부는 방재기술평가 결과 우수한 방재기술로 평가된 기술(이하 "방재신기술"이라 한다)에 대하여 방재신기술로 지정·고시하고 방재신기술임을 표시할 수 있는 표시 방법, 보호기간 및 활용 방법 등을 정할 수 있다. <개정 2012. 2. 22.>

② 정부는 방재시설을 설치하는 공공기관에 대하여 방재신기술을 우선 활용할 수 있도록 적절한 조치를 하여야 한다. <개정 2012. 2. 22.>

③ 행정안전부장관은 기술개발자를 보호하기 위하여 필요하다고 인정하면 보호기간을 정하여 기술개발자가 방재신기술의 기술사용료를 받을 수 있도록 하거나 그 밖의 방법으로 보호할 수 있으며, 보호기간이 만료되어 기술개발자가 보호기간 연장을 신청하는 경우에는 그 방재신기술의 활용 실적 등을 검증하여 그 기간을 연장할 수 있다. <개정 2012. 2. 22., 2014. 11. 19., 2017. 7. 26.>

④ 방재신기술의 지정 절차, 표시 방법, 보호기간 및 활용 방법 등에 관하여 필요한 사항은 대통령령으로 정한다. <개정 2012. 2. 22.>

④ 문의처
- 국민안전처 재난안전산업과(Tel. 044-205-4188)
- 한국방재협회 연구기술실(Tel. 02-3472-8072)

15) 기술혁신 시제품 시범구매사업(시제품 시범구매) 성공제품

① 정의
- 조달청 기술혁신 시제품 시범구매사업 대상에 선정되어 테스트 후 성공판정을 받은 제품

② 지정기간
- 지정일로부터 3년

③ 제안분야
- 혁신성장 8대 선도사업 : 미래자동차, 드론, 에너지신산업, 바이오 헬스, 스마트공장, 스마트시티, 스마트팜, 핀테크
- 국민생활문제 해결 분야 : 안전, 환경, 건강, 복지 등
- 미세먼지 저감 분야 : 배출원 감시, 오염원 관리, 실내.외 공기질 개선, 미세먼지 측정 분석 등

④ 법적근거 : 「기술혁신 시제품 시범구매 운영기준(혁신조달과-20호)」

⑤ 문의처
- 조달청 구매사업국 혁신조달과(Tel. 070-4056-7664)

16) 특허 및 실용신안

① 인증대상

- 특 허 : 자연법칙을 이용한 기술적 사상의 창작으로서 고도한 것
- 실용신안 : 물품의 형상·구조 또는 조합에 관한 자연법칙을 이용한 기술적 사상의 창작

② 권리존속기간

- 특허20년, 실용신안 10년

③ 법적근거 : 「특허법」, 「실용신안법」

④ 문의처

- 특허청(Tel. 1544-8080)

17) 품질보증조달물품(자가품질보증제품)

품질보증 조달물품은 「조달사업에 관한 법률」제3조의 3에 따라 조달청장이 고시한 품질관리능력 평가기준에 적합한 자가제조한 물품으로서 국가계약법 시행령 제56조의2에 따라 납품검사를 면제할 수 있는 물품이다.

① 유효기간

- S등급 5년, A등급 4년, B등급 3년

② 법적근거 : 「품질보증조달물품 지정 · 관리규정」(조달청고시 제2018-3호)

③ 문의처

- 조달품질원(Tel. 070-4056-8022, 8025, 8030)

18) 소재 · 부품 신뢰성 인증(Materials & Components Reliability)

① 내용

- 국산 부품·소재의 신뢰성(내구수명 및 고장율)을 객관적으로 평가한 후 우수한 제품에 대하여 신뢰성인증(수명보증)을 부여

② 법적근거 : 「부품·소재 전문기업 등의 육성에 관한 특별조치법」 제25조

③ 문의처
- 한국산업기술진흥원 소재부품기반팀(Tel. 02-6009-3922, 3925)
- 산업통상자원부 소재부품총괄과(Tel. 044-203-4263)

19) ICT 융합품질인증

정보통신 융합 기술 및 서비스 등의 신뢰성 확보를 위해 편의성, 안정성, 신뢰성, 확장성 등에 관한 현장평가와 시험평가 등 인증심사를 통해 확인하고 인증해주는 제도

① 법적근거 :「정보통신 진흥 및 융합 활성화 등에 관한 특별법」제17조

제17조(기술·서비스 등의 품질인증)
① 과학기술정보통신부장관은 정보통신융합등 기술·서비스 등의 편의성·안정성·신뢰성·확장성 등에 관한 인증기준(이하 "품질기준"이라 한다)을 정하여 고시할 수 있다. <개정 2017. 7. 26.>
② 과학기술정보통신부장관은 정보통신융합등 기술·서비스 등의 품질이 제1항에 따라 고시한 품질기준에 적합한지를 인증할 수 있다. 이 경우 인증에 소요되는 비용은 신청인이 부담한다. <개정 2017. 7. 26.>
③ 과학기술정보통신부장관은 제2항에 따른 인증 업무를 효율적으로 수행하기 위하여 인증기관을 지정할 수 있다. <개정 2017. 7. 26.>
④ 제2항에 따라 인증을 받은 자는 대통령령으로 정하는 바에 따라 인증의 내용을 표시하거나 홍보할 수 있다. 인증을 받지 아니한 자는 인증 표시 또는 이와 유사한 표시를 하여서는 아니 된다.
⑤ 과학기술정보통신부장관은 제2항에 따른 인증이 다음 각 호의 어느 하나에 해당하는 경우 그 인증을 취소하여야 한다. <개정 2017. 7. 26.>
1. 거짓이나 그 밖의 부정한 방법으로 인증을 받은 경우
2. 품질기준에 미달하게 된 경우
3. 그 밖에 이 법이나 이 법에 따른 명령을 위반한 경우
⑥「보험업법」제2조제6호에 따른 보험회사는 제2항에 따른 인증으로 인하여 이용자가 입은 손해의 배상을 담보하는 사업을 대통령령으로 정하는 바에 따라 실시할 수 있다.
⑦ 제2항에 따른 인증의 절차 및 제5항에 따른 인증의 취소 등에 필요한 사항은 대통령령으로 정한다.

---

② 문의처
- 한국정보통신기술협회 공공안전기반기술팀(Tel. 031-780-9213)

20) ICT 융합품질인증
① 인증대상
- 국내에서 최초로 개발한 전력기술 또는 외국에서 도입하여 개량한 것으로 국내에서 신규성, 진보성, 현장 적용성 및 경제성이 있다고 판단되는 전력기술에 대하여 보급이 필요하다고 인정되는 기술

② 인증기간
- 고시일로부터 3년(제품은 3년 이내, 기술은 7년 이내 연장 가능)

③ 법적근거
- 「전력기술관리법」 제6조의2

④ 문의처
- 산업통상자원부 전력산업과 (Tel. 044-203-5243)
- (사)대한전기협회 (Tel. 02-3393-7624)
※ '16.1.6일 폐지, NET로 통합

21) 혁신제품(혁신시제품 + R&D 혁신제품 등)
① 정의
- 조달청 기술혁신 시제품 시범구매사업* 대상에 선정 된 혁신시제품 또는 R&D 혁신제품**
  중 조달청장이 구매하여 실증 결과 성공으로 판정된 제품
  * 상용화 전 시제품을 구매하여 수요기관에 공급하고 수요기관이 제품 사용 후 제품 사용 결과를 공개하여 상용화를 지원하는 사업
  ** R&D부처(산자부, 과기부 등)에서 연구개발제품 중 혁신성 평가하여 지정

② 지정기간
- 지정일로부터 3년
- 지정예정공고가 끝난 날 또는 재심의 한 경우에는 재심의를 통해 우수연구개발 혁신제품으로 의결된 날로부터 3년

③ 제안분야
- 혁신성장 8대 선도사업 : 미래자동차, 드론, 에너지신산업, 바이오 헬스, 스마트공장, 스마트시티, 스마트팜, 핀테크
- 국민생활문제 해결 분야 : 안전, 환경, 건강, 복지 등
- 미세먼지 저감 분야 : 배출원 감시, 오염원 관리, 실내·외 공기질 개선, 미세먼지 측정 분석 등

④ 법적근거
- 「혁신시제품 지정·관리 기준」
- 「우수연구개발 혁신제품 지정 지침」

⑤ 문의처
- 조달청 구매사업국 혁신조달과 (Tel. 070-4056-7664, 7683, 7420, 7217)
- R&D 평가기관
  • 한국환경산업기술원 기술평가실 (Tel. 02-2284-1622)
  • 해양수산과학기술진흥원 일자리창출전략실 (Tel. 02-3460-4054)
  • 중소기업기술정보진흥원 성과확산실 (Tel. 042-388-0751, 0756)
  • 한국산업기술진흥원 기술실용화팀 (Tel. 02-6009-4063~64)
  • 한국산업기술진흥협회 인증심사팀 (Tel. 02-3460-9184, 9025)

22) 한국산업규격(KS, Korean Industrial Standards)
① 내용
- 국가규격인 한국산업규격(KS)에 적합하게 제품을 지속적으로 생산할 수 있는 체계임을 인증
  기관을 통하여 심사를 받는 품질인증제도로서 사내 표준화와 품질경영으로 품질개선과 생산
  효율성 향상으로 소비자를 보호하기 위한 제도

② 법적근거
- 「산업효준화법」 제15조

③ 문의처
- 한국표준협회 (Tel. 1670-6009)

④ 시험기관
- 한국화학융합시험연구원 등 14개 기관

23) Q마크
① 내용
- 국제적인 제품시험, 검사기준에 부합하는 품질보증검사기준에 의하여 성능 평가 및 안전성
  평가를 거쳐서 인증

② 법적근거
- 「품질인증(Q-Mark) 운영규정」

③ 문의처
- 한국기계전기전자시험연구원(품질인증센터: 031-428-5623~4, 5626. 5639)
- 한국화학융합시험연구원(인증심사팀: 02-2164-1402, 1405, 1406)
- 한국건설생활환경시험연구원(품질인증팀: 02-3415-8773)

24) 재난안전제품 인증
① 내용
- 국민안전과 밀접한 제품에 대해 국가가 공식적으로 품질을 인정하는 제도로 국민은 인증 받은 제품을 믿고 사용해 일상생활 속에서 안전을 확보할 수 있고, 기업은 우수한 기술을 개발하고 제품을 만들어 판매함으로써 관련 산업을 활성화 시키고자 도입

② 법적근거
- 「재난 및 안전관리 기본법」 제73조의 4

③ 문의처
- 행정안전부 재난안전사업과 (Tel. 044-205-4188)

25) 물산업 우수제품
① 내용
- 지속적인 품질 확보와 공급이 가능한 기업에서 우수한 품질을 우수기자재로 인증(등록)하고, 지자체 등 구매 기관에서 우수기자재 인증 업체를 대상으로 지명경쟁 입찰을 실시하여 물품을 구매하려는 제도

② 법적근거
- 「물관리 기술발전 및 물산업 진흥에 관한 법률」 제10조

③ 문의처
- 환경부 물산업협력과 (Tel. 044-201-7637)
- 한국상하수도협회 물산업인증팀 (Tel. 02-3156-7791~3)

26) 에너지소비효율 1등급 제품
① 내용
- 에너지소비효율등급표시제도는 에너지절약형 제품의 보급 확대를 위하여 에너지소비효율 또는 에너지사용량에 따라 1~5등급으로 구분하여 표시하도록 하는 의무제도로 1등급에 가까운 제품일수록 에너지절약형 제품

② 법적근거
- 「에너지이용합리화법」 제15조 및 제16조

③ 문의처
- 에너지관리공단 효율등급팀 (Tel. 052-920-0472~77)

27) 우수발명품
① 내용
- 특허청장이 우수발명품의 지원, 육성 및 구매증대를 위하여 기술 및 제품의 우수성(기술의 고도성, 파습성, 차별성 등) 및 구매효과성 등을 면밀히 검토하여 개인과 중소기업에서 생산하는 우수발명품을 우선 구매할 수 있도록 추천하는 제도

② 법적근거
- 「발명진흥법」 제39조

③ 문의처
- 특허청 특허사업화담당관실 (Tel. 042-481-3374)
- 한국발명진흥회 발명진흥실 (Tel. 02-3459-2814)

28) 우수산업디자인상품(GD, Good Design)
① 내용
- 국내·외 유통중인 상품을 대상으로 심사하여 사용하기 편리하고 외관이 아름다운 상품을 선정 GD마크를 부여하는 제도로 매년 1회 접수받아 선정 전시

② 법적근거
- 「산업디자인진흥법」 제6조 및 「동법 시행령」 제10조

③ 문의처
- 한국디자인진흥원 (Tel. 031-780-2102, 2163)

29) 노사문화 우수기업
① 내용
- 상생의 노사문화를 모범적으로 실천하고 있는 기업을 선정·지원함으로써 노사협력 분위기를 확산하고 기업의 경쟁력을 제고

② 지정기간

- 선정된 날로부터 3년

③ 문의처

- 노동부 노사발전재단 노사협력팀 (Tel. 02-6021-1061)

VI. 조달우수제품 지정에 대한 Q&A

VI. 조달우수제품 지정에 대한 Q&A

Q1. 제3자단가계약과 MAS(다수공급자계약)의 차이는 무엇인가요?

A1. 먼저 제3자 단가계약은 제조업체, 공급업체, 비영리법인, 조합, 협회 등이 나라장터 종합쇼핑몰에 등재한 제품을 수요기관이 구매하여 계약하는 것이고, 다수공급자계약(MAS)는 제조업체, 공급업체, 비영리법인, 조합, 협회 등이 다수공급자계약 방법으로 조달청과 계약하여 나라장터 종합쇼핑몰에 제품이 등재되며, 이 제품을 수요기관이 구매하여 계약하는 것으로 제3자단가계약방법 중 하나라고 할 수 있습니다. 제3자단가계약과 MAS(다수공급자계약)에 대한 내용은 아래와 같습니다.

[제3자단가계약]
각 수요기관에서 공통적으로 필요로 하는 수요물자를 제조·구매 및 가공하는 동의 계약을 할 때 미리 단가만을 정하고 각 수요기관의 장이 직접 해당물자의 납품요구나 납품요구 및 대금을 지급할 수 있는 제도

* 제3자단가계약 물품 납품요구 및 처리절차
- 제3자를 위한 단가계약 체결(나라장터 종합쇼핑몰에 상품등록) ·다수 공급자계약 포함
- 수요기관에서 분할납품요구(나라장터를 통해 전산으로 요구)
- 계약이행(계약업체는 수요기관에 해당 물품 납품)
- 수요기관의 물품 인수 후 계약업체에서는 나라장터를 통해 수요 기관에 검사/검수를 요청
- 검사 및 검수(수요기관에서 물품납품 및 영수증을 나라장터를 통해 발급)
- 계약업체는 나라장터를 통해 전자적으로 대금 청구
- 계약업체에 대금지급(종결)

[다수공급자체계(MAS)]
기존의 최저가 1인 낙찰자 선정 방식으로는 다양성 부족과 품질 저하의 문제점이 지속적으로 지적됨에 따라 다수의 공급자를 선정, 선의의 가격, 품질경쟁을 유도하는 동시에 수요기관의 선택권을 제고하는 제도로서 정보통신기술의 발전 및 인터넷 확산에 따른 전자상거래시대에 적합하여, 이미 미국, 캐나다 등에서 널리 활용되고 있는 제도로 각 공공기관의 다양한 수요를 충족하기 위하여 품질, 성능, 효율 등에서 동등하거나 유사한 종류의 물품을 수요기관이 선택할 수 있도록 2인 이상을 계약상대자로 하는 계약제도로서 납품실적, 경영상태 등이 일정한 기준에 적합한 자를 대상으로 협상을 통해 계약을 체결하고 수요고객이 직접 나라장터 종합쇼핑몰에서 자유롭게 물품을 선택하여 사용하는 제도

* 대상품목
- 규격(모델)이 확정되고 상용화된 물품
- 연간 납품실적이 3천만원 이상인 업체가 3개사 이상일 것
- 업체공통의 상용규격 및 시험기준이 존재할 것
- 단가계약(제3자단가계약 포함)이 가능한 물품
- 기타 조달청장이 필요하다고 판단하는 물품 등

* 세부내용
- 품질, 성능, 효율 등에서 동등하거나 유사한 물품을 공급하는 업체들에게 조달청과 계약
  할 수 있는 기회를 제공
- 계약에 참여하기를 희망하는 기업 중 입찰참가자격 충족 여부 및 협상 대상품목 결정을
  위하여 적격성 평가를 실시
- 다수공급자계약 업무처리규정에서 정한 결격사유에 해당사항이 없고 입찰참가자격 등이
  충족된 업체는 규격서와 시험성적서 등을 제출하여 적격판정 받은 품목에 대한 가격자
  료 제출
- 조달청은 자체적으로 가격 조사하여 협상 기준가격 책정
- 조사, 책정된 가격을 기준으로 가격을 협상하되 가격담합, 덤핑 등으로 가격협상이 어려
  운 경우, 외부위원이 참여하는 가격심의회를 개최, 최종적인 가격을 결정
- 가격협상이 성립되면 품목별로 다수의 공급자와 계약 체결
- 품목별로 다수공급자의 제품을 나라장터 종합쇼핑몰에 등재하면 수요기관은 민간쇼핑몰
  에서와 같이 선호하는 업체의 제품을 선택

* 기타 주요내용
- 계약기간: 2년 계약에서 10년(3년마다 계약연장)계약으로 늘어나는 추세
            단, 라이프사이클이 짧은 품목은 예외
- 계약기간 중이라도 성능이 향상된 신제품으로 대체 가능
            단, 조달청에 사전협의 필요
- 가격인하: 계약자의 요청에 의하여 가격인하 가능

Q2. 국가기관의 계약담당공무원이 우수조달물품을 수의로 계약체결한 경우 소속 중앙관서의 장 및 감사원에 통지하여야 하나요?

A2. 국가기관의 계약담당공무원이 「국가를 당사자로 하는 계약에 관한 법률 시행령」 제26조 제1항 제1호 다목·라목, 같은 항 제2호, 제4호 나목·다목 및 제5호 다목·마목에 따라 수의계약을 체결한 때에는 그 내용을 소속중앙관서의 장에게 보고하여야 하며, 각 중앙관서의 장은 보고받은 사항 중 제1항제2호에 따른 계약에 대하여는 이를 감사원에 통지하여야 하나, 우수조달물품에 대한 수의계약은 「국가를 당사자로 하는 계약에 관한 법률 시행령」 제26조 제1항 제3의 바목 규정에 따르는 것이므로 해당되지 않습니다.[17]

Q3. 우수조달물품도 적절한 대용품이나 대체품이 없는 경우에 한해 수의계약이 가능한가요?

A3. 특허를 받았거나 실용신안등록 또는 디자인등록이 된 물품을 제조하게 하거나 구매하는 경우에는 적절한 대용품이나 대체품이 없는 경우에 한해 수의계약이 가능하나 우수조달물품의 경우에는 대용품이나 대체품에 대한 별도의 검토가 필요치 않습니다.

Q4. 우수조달물품의 수의계약 시 구매금액에 대한 제한이 있나요?

A4. 국가기관의 계약담당공무원이 「국가를 당사자로 하는 계약에 관한 법률 시행령」 제26조 제1항 제3호 사목 규정에 의거 「조달사업에 관한 법률 시행령」 제18조의2에 따라 지정·고시된 우수조달 공동상표의 물품을 구매하는 경우에는 기획재정부장관이 고시한 금액 미만의 물품을 구매하는 경우에 한정하여 수의계약을 체결할 수 있으나, 같은 항 제3호 바목 규정에 의거 「조달사업에 관한 법률 시행령」 제18조에 따라 우수조달물품으로 지정·고시된 제품을 수의계약에 의하는 경우에는 구매금액에 대한 별도의 제한규정이 없습니다.

---

17) 정부조달우수제품협회 (http://www.jungwoo.or.kr/cmsmain.do?scode=S01&pcode=main)

Q5. 우수조달물품이라도 중소기업간 경쟁제품으로 지정된 품목에 대하여는 중소기업간 경쟁입찰방식을 통해 구매해야 하나요?

A5. 2006년부터 정부 등 공공기관은 중소기업자간 경쟁대상으로 지정된 제품에 대해서는 특별한 사유*가 없는 한 중소기업간 경쟁 입찰방식을 통해 구매하여야 하며, 이는 중소기업자의 수주기회 확대, 과다경쟁 방지 및 가격 안정, 기술개발제품 구매 확대를 위한 것입니다.

* 특별한 사유란 법률에 따라 우선구매(또는 수의계약) 대상으로 규정된 중소기업제품을 구매하는 경우, 중소기업자간 경쟁입찰 결과 적격자가 없는 등의 사유로 여타 경쟁입찰방법으로 재입찰 하는 경우 등을 의미합니다.

우수조달물품의 경우에는 「중소기업제품 구매촉진 및 판로지원에 관한 법률시행령」 제7조 제1항 제1호에서 규정하고 있는 "동법 및 다른 법률에서 우선구매 대상으로 규정한 중소기업제품 또는 수의계약에 의하여 구매할 수 있도록 규정된 중소기업제품"으로써 중소기업간 경쟁입찰의 예외사유에 해당되므로 중기간 경쟁대상품목인 경우에도 수의계약이 가능하며 조달청 나라장터 쇼핑몰 전용몰에서 직접 구매(제3자단가 분할납품요구)할 수 있습니다.

Q6. 공공기관이 제출한 인증신제품(NEP) 구매면제 요청에 대해 인증심의위원회가 부적정 판정을 하는 경우 해당 공공기관에 어떤 조치를 하게 되나요?

A6. 기술표준원장이 공공기관에 대해 구매요청을 한 경우에 공공기관은 신제품구매가 불가능하거나 신제품 구매가 현저히 부당한 경우에는 「신제품(NEP)인증 및 구매촉진 등에 관한 운영요령」 별지 제18호 서식을 작성하여 기술표준원장에게 인증신제품 구매면제 요청을 할 수 있습니다. 이 경우 공공기관이 제출한 구매면제 요청사유에 대해 인증심의위원회가 부적정 판정을 하는 경우에는 해당 공공기관에 대해 재구매 요청을 하고, 타당하다고 판정하는 경우에는 해당 품목에 대해 구매의무를 면제하게 됩니다.

Q7. 인증신제품(NEP)에 대한 의무구매 면제 사유에는 어떤 것들이 있나요?

A7. 인증신제품의 의무구매 면제 사유에는 ① 해당 제품이 대량생산되지 아니하였거나 대량생산될 가능성이 낮은 경우 ② 해당 제품의 가격이 같은 종류의 다른 제품과 비교하여 지나치게 높은 경우 ③ 해당 제품의 성능이 같은 종류의 다른 제품과 비교하여 지나치게 낮거나 안정성에 문제가 있는 경우 ④ 해당 제품의 규격이 공공기관이 원하는 제품의 규격과 다른 경우 ⑤ 그 밖에 인증신제품을 구매하는 것이 불가능하거나 현저히 부당하다고 인정하는 경우 등이 있습니다.

Q8. 우수제품 지정 및 판로지원에 관한 법령은 무엇인가요?

A8. 우수제품 지정 및 판로지원에 관한 법령은 아래 내용과 같습니다.

▣ 우수제품 지정 근거 법령

• 「조달사업에 관한 법률」

> **제9조의2(우수조달물품 등의 지정)** ① 조달청장은 조달물자의 품질 향상을 위하여 다음 각 호의 어느 하나에 해당하는 물품 또는 상표를 우수조달물품 또는 우수조달공동상표(이하 이 조에서 "우수조달물품 등"이라 한다)로 지정하여 고시할 수 있다. <개정 2016.1.27>
>
> 1. 우수조달물품: 다음 각 목에 해당하는 기업이 생산한 물품으로서 성능·기술 또는 품질이 대통령령으로 정하는 기준을 충족하는 물품
>
>   가. 「중소기업기본법」 제2조제1항에 따른 중소기업
>
>   나. 「중견기업 성장촉진 및 경쟁력 강화에 관한 특별법」 제2조에 따른 중견기업 중 매출액 규모, 중견기업이 된 이후의 기간 등 대통령령으로 정하는 기준을 충족하는 기업 <시행 2016.7.28>

• 「조달사업에 관한 법률 시행령」

> **제18조(우수조달물품의 지정)** ① 법 제9조의2제1항제1호 각 목 외의 부분에서 "대통령령으로 정하는 기준을 충족하는 물품"이란 다음 각 호의 어느 하나에 해당하는 물품으로서 기술의 중요도 및 품질의 우수성 등을 고려하여 조달청장이 정하는 기준을 충족하는 물품을 말한다. 다만, 음료품류·식료품류 및 동물류·식물류 등 품질 확보가 곤란한 물품이나 무기·총포·화약류 등으로서 조달청장이 우수조달물품으로 지정하는 것이 적합하지 아니하다고 인정하여 고시하는 물품은 제외한다.
>
> <개정 2010.8.17, 2014.11.4, 2016.7.28>
>
> 1. 「특허법」에 따른 특허발명, 「실용신안법」에 따른 등록실용신안 및 「디자인보호법」에 따른 등록디자인을 실시하여 생산된 물품
>
> 2. 법령에 따라 주무부장관 또는 법령에 따라 주무부장관의 위임을 받은 자가 인증하거나 추천하는 신기술 적용 물품, 우수품질 물품, 환경친화적 물품 또는 자원재활용 물품 등
>
> ② 법 제9조의2제1항제1호나목에서 "매출액 규모, 중견기업이 된 이후의 기간 등 대통령령으로 정하는 기준을 충족하는 기업"이란 「중견기업 성장촉진 및 경쟁력 강화에 관한 특별법」 제2조에 따른 중견기업(이하 "중견기업"이라 한다)으로서 다음 각 호의 어느 하나에 해당하는 기업을 말한다. 다만, 「중소기업제품 구매촉진 및 판로지원에 관한 법률」 제6조에 따라 지정된 중소기업자간 경쟁 제품을 우수조달물품으로 지정받으려는 중견기업의 경우에는 같은 법 제8조의3 제1항 각 호의 요건을 모두 충족하는 중견기업을 말한다.
>
> <신설 2016.7.28>
>
> 1. 「중소기업기본법」 제2조제3항에 따라 중소기업으로 보는 경우 해당 기간의 만료 이후 3년 이내의 기업
>
> 2. 우수조달물품 지정연도 직전 3년간의 연간 평균 매출액이 3천억원 미만인 기업

■ 수의계약 근거 법령

• 「국가계약법시행령」

제26조(수의계약에 의할 수 있는 경우) ① 법 제7조제1항 단서에 따라 수의계약에 의할 수 있는 경우는 다음 각 호와 같다.<개정 2010.7.21, 2011.10.28, 2011.11.23, 2012.5.14, 2013.12.30, 2014.5.22, 2015.12.31, 2018.12.4>

3. 「중소기업진흥에 관한 법률」 제2조제1호에 따른 중소기업자가 직접 생산한 다음 각 목의 제품을 해당 중소기업자로부터 제조·구매하는 경우

바. 「조달사업에 관한 법률 시행령」 제18조에 따라 우수조달물품으로 지정·고시된 제품

• 「지방계약법시행령」

제25조(수의계약에 의할 수 있는 경우) ① 지방자치단체의 장 또는 계약담당자는 다음 각 호의 어느 하나에 해당하는 경우에는 법 제9조제1항 단서에 따른 수의계약에 의할 수 있다. <개정 2011.9.15, 2011.10.28, 2011.11.23, 2012.5.23, 2012.10.8, 2013.3.23, 2013.11.20, 2014.5.22, 2014.11.19, 2015.8.19, 2016.1.15, 2016.9.13, 2016.9.29, 2017.7.26, 2018.7.24, 2019.06.25>

6. 다른 법률에 따라 특정사업자로 하여금 특수한 물품·재산 등을 매입하거나 제조하도록 하는 경우로서 다음 각 목의 경우

라. 「중소기업진흥에 관한 법률」 제2조제1호에 따른 중소기업자가 직접 생산한 다음의 어느 하나에 해당하는 제품을 그 생산자로부터 제조·구매하는 경우로서 주무부장관으로부터 인증 또는 지정된 유효기간 [해당 물품에 대한 인증 또는 지정 유효기간이 3년을 넘는 경우에는 3년을 말하며, 주무부장관이 인증 또는 지정 유효기간을 연장한 경우에는 연장된 기간(3년을 넘는 경우에는 3년을 말한다)을 포함한다] 이내에 해당하는 경우

5) 「조달사업에 관한 법률 시행령」 제18조에 따라 우수조달물품으로 지정·고시된 제품

• 「공기업 준정부기관 계약사무규칙」

> 제8조(수의계약) ① 기관장 또는 계약담당자는 다음 각 호의 어느 하나에 해당하는 경우에는 수의계약으로 할 수 있다. <개정 2010.9.30, 2013.1.25, 2013.11.18, 2014.8.26, 2016.9.12, 2018.7.5>
>
> 7.「국가를 당사자로 하는 계약에 관한 법률 시행령」 제26조제1항·제2항에 따라 수의계약으로 하는 것이 가능한 경우
>
> *「국가를 당사자로 하는 계약에 관한 법률 시행령」제26조제1항제3호 바목
>
> 바.「조달사업에 관한 법률 시행령」 제18조에 따라 우수조달물품으로 지정·고시된 제품

■ 판로지원 근거 법령

•「중소기업제품 구매촉진 및 판로지원에 관한 법률」

> 제13조(기술개발제품 등에 대한 우선구매) ① 정부는 중소기업자가 개발한 기술개발제품의 수요를 창출하기 위하여 이들 제품을 우선적으로 구매하는 등 필요한 지원시책을 마련하여야 한다. <개정 2011.3.30>
>
> ② 중소벤처기업부장관이나 관계 중앙행정기관의 장은 중소기업자가 개발한 기술개발제품의 구매를 늘리기 위하여 공공기관이나 그 밖에 대통령령으로 정하는 자에게 우선구매 등 필요한 조치를 요구할 수 있다. <개정 2017.7.26>
>
> ③ 제2항에 따른 요구를 받은 공공기관은 그 요구에 따라 이들 제품의 우선구매 등의 조치를 할 수 없는 경우에는 그 사유를 대통령령으로 정하는 기간 내에 중소벤처기업부장관과 관계 중앙행정기관의 장에게 통보하여야 한다. <개정 2017.3.21, 2017.7.26>
>
> ④ 공공기관의 장은 대통령령으로 정하는 금액 기준 등에 해당하는 대규모 국책사업을 실시하는 경우 중소기업 기술개발제품의 수요를 사전 검토하고, 중소기업의 참여방안을 마련하여야 한다. <신설 2016.1.6>
>
> ⑤ 제4항에 따른 사전 수요 검토, 중소기업 참여방안 마련 등에 관하여 필요한 사항은 중소벤처기업부령으로 정한다. <신설 2016.1.6, 2017.7.26>

•「중소기업제품 구매촉진 및 판로지원에 관한 법률 시행령」

> 제12조(기술개발제품 등에 대한 우선구매) ② 중소벤처기업부장관은
> 법 제13조제2항에 따라 제3조 각 호의 공공기관의 장에게 회계 연도마다
> 해당 기관의 우선구매대상 기술개발제품의 구매목표비율이 포함된 구매계획과
> 전년도 우선구매대상 기술개발제품의 구매실적을 해당 연도 1월 31일까지
> 통보하도록 요청할 수 있다. <신설 2016.1.12, 2017.7.26>
>
> ③ 제2항에 따른 우선구매대상 기술개발제품의 구매목표비율은 중소기업물품
> 구매액의 10퍼센트 이상으로 하여야 한다. 다만, 공공기관의 사업
> 목적상 또는 물품구매의 특성상 그 비율을 10퍼센트 이상으로 하기
> 어려운 공공기관의 장은 중소벤처기업부장관과 협의하여 구매목표비율을
> 따로 정할 수 있다. <개정 2016.1.12, 2017.7.26>
>
> ④ 중소벤처기업부장관은 공공기관의 장과 협의하여 공공기관별 연간 우선
> 구매 대상 기술개발제품의 구매목표비율을 매년 4월 30일까지 공고하여야
> 한다. <개정 2016.1.12, 2017.7.26>
>
> ⑤ 공공기관은 법 제13조제3항에 따라 우선구매조치를 한 경우에는 그 대상
> 품목(규격을 포함한다), 계약방법 및 계약금액 등 우선구매조치를 한
> 내용을, 우선구매조치를 하지 아니한 경우에는 그 사유를 법 제13조
> 제2항에 따른 요구를 최초로 받은 날부터 60일 이내에 중소벤처기업부
> 장관이나 관계 중앙행정기관의 장에게 각각 통보하여야 한다. <개정
> 2011.6.27, 2016.1.12, 2017.7.26>
>
> ⑥ 제1항부터 제5항까지에서 규정한 사항 외에 우선구매제도의 운영 등에
> 관한 사항은 중소벤처기업부장관이 정하여 고시한다. <개정 2016.1.12,
> 2017.7.26>
>
> ⑦ 법 제13조제4항에서 "대통령령으로 정하는 금액 기준 등에 해당하는
> 대규모 국책사업"이란 총사업비가 500억원 이상이고 국가의 재정지원
> 규모가 300억원 이상인 국책사업을 말한다. <신설 2016.7.6>

■ 공공기관 구매책임자에 대한 면책 근거 법령

• 「중소기업제품 구매촉진 및 판로지원에 관한 법률」

> 제14조(우선구매 대상 기술개발제품의 지정 등) ③ 우선구매 대상 기술
> 개발제품을 구매하기로 계약한 공공기관의 구매 책임자는 고의나
> 중대한 과실이 입증되지 아니하면 그 제품의 구매로 생긴 손실에 대하여 책임을
> 지지 아니한다. <개정 2009.12.30, 2011.3.30> [제목개정 2009.12.30]

• 「산업기술혁신촉진법」

> 제17조의2(공공구매책임자의 지정 등) ⑧ 제17조제2항에 따라 인증
> 신제품을 구매한 공공구매책임자는 고의 또는 중대한 과실이 증명되지
> 아니하면 인증신제품의 구매로 인하여 발생한 공공기관의 손실에
> 대하여 책임을 지지 아니한다. <개정 2014.5.20>

VII. 결론

VII. 결론

앞서 살펴본 우수조달물품 지정제도는 기술력을 보유한 중소기업의 보호·육성 및 수요기관에게 고품질 우수물품의 공급이라는 2가지 정책적 목표를 가지고 중소·벤처기업이 관수시장에서 자리매김을 할 수 있도록 경쟁력을 강화할 수 있는 힘을 실어주며 수요기관에게는 관수시장 내 고품질 명품코너와 같이 손쉽게 합리적 선택을 하도록 도와주는 제도이다.

현재 조달청은 혁신제품의 우수조달제품 진입 확대를 위해 특례 심사 대상을 대폭 확대하는 등 '우수조달물품규정'을 개정, 시행한다고 밝혔고 이는 중소기업의 기술 혁신 촉진 및 성장을 유도하기 위함이다. 또한 구매자로서 수요를 창출하는 '혁신조달체계'와의 연계를 더욱 강화하고 그동안 제기된 기업부담을 완화하고 우수조달물품의 사후관리를 강화하여 공정한 시장질서를 확립할 것이다.

결과적으로 조달우수제품 지정제도는 중소기업의 판로지원에 많은 도움이 될 것이고, 공공 조달에 참여하는 중소기업들에게 커다란 동기부여가 될 것이다.

초판 1쇄 인쇄 2023년 6월 7일
초판 1쇄 발행 2023년 6월 19일

편저 한국기술인증협회
펴낸곳 비티타임즈
발행자번호 959406
주소 (본사) 전북 전주시 서신동 780-2 3층
   (서울사무소) 서울시 서초구 방배로 27길 12, 영복빌딩 301호
대표전화 063 277 3557
팩스 063 277 3558
이메일 bpj3558@naver.com
ISBN 979-11-6345-453-3 (13320)

이 도서의 국립중앙도서관 출판예정도서목록(CIP)은 서지정보유통지원시스템홈페이지
(http://seoji.nl.go.kr)와국가자료공동목록시스템 (http://www.nl.go.kr/kolisnet)에서 이용하
실 수 있습니다.